SARRA MANNING

{ AUTORA DE ONDE DEIXAREI MEU CORAÇÃO }

LONDRES é nossa!

Tradução
Priscila Catão

1ª edição

— Galera —
RIO DE JANEIRO
2017

CIP-BRASIL. CATALOGAÇÃO NA PUBLICAÇÃO
SINDICATO NACIONAL DOS EDITORES DE LIVROS, RJ

M246L
Manning, Sarra
  Londres é nossa! / Sarra Manning; tradução Priscila Catão. –
1. ed. – Rio de Janeiro: Galera Record, 2017.

  Tradução de: London Belongs To Us
  ISBN: 978-85-01-10928-6

  1. Ficção juvenil inglesa. I. Catão, Priscila. II. Título.

16-38760
CDD: 028.5
CDU: 087.5

Título original:
London Belongs To Us

Copyright © Sarra Manning, 2016

Originalmente publicado em inglês como London Belongs To Us por Hot Key Books Limited, London.

Todos os direitos reservados.
Proibida a reprodução, no todo ou em parte, através de quaisquer meios.
Os direitos morais do autor foram assegurados.

Texto revisado segundo o novo Acordo Ortográfico da Língua Portuguesa.

Composição de miolo: Abreu's System

Direitos exclusivos de publicação em língua portuguesa somente para o Brasil
adquiridos pela
EDITORA RECORD LTDA.
Rua Argentina, 171 – Rio de Janeiro, RJ – 20921-380 – Tel.: (21) 2585-2000,
que se reserva a propriedade literária desta tradução.

Impresso no Brasil

ISBN 978-85-01-10928-6

Seja um leitor preferencial Record.
Cadastre-se e receba informações sobre nossos
lançamentos e nossas promoções.

Atendimento e venda direta ao leitor:
mdireto@record.com.br ou (21) 2585-2002.

Dedicado a amigos ausentes: Jacqui Johnson, Jacqui Rice, Karen Auerbach, Peter Knight, Adam Lowe e Rupert Jones — companheiros de tantas aventuras por Londres durante minha adolescência rebelde.

Nos olhos das pessoas, no caminhar oscilante, penoso e arrastado; na gritaria e tumulto; nas carroças, automóveis, ônibus, vans, nos homens-sanduíche se arrastando e balançando; nas bandas; nos realejos; na marcha e no tinido, e na cantoria aguda e estranha de algum avião lá em cima, estava o que ela amava: a vida, Londres.

Sra. Dalloway, Virginia Woolf

LONDRES

Uma cidade de oito milhões de pessoas. Oito milhões de vidas. Oito milhões de histórias.

Esta é apenas uma delas.

Querida Sunny,

O importante é lembrar que você ficará bem sozinha em casa por uma semana. Perfeitamente bem.

Se tiver medo, Emmeline ou uma de suas outras amig(a)s pode lhe fazer companhia. Mas nada de garotos dormindo aqui. Por favor, não abuse de nossa confiança em você, nem veja isso como uma oportunidade de convidar Mark e tomar uma decisão da qual pode muito bem se arrepender pelo resto da vida. Claro que legalmente você tem idade suficiente para transar com quem quiser, mas quer mesmo perder a virgindade com um garoto que anda por aí com a cueca à mostra? Além disso, com 17 anos não se pode votar nem comprar bebida alcoólica ou fogos de artifício, então acha mesmo que é idade suficiente para transar? Pense nisso!

Mark é um ótimo garoto, não estou dizendo que não é, mas tem alguma coisa nele de que eu simplesmente não gosto. É intuição de mãe. Mas minha intuição de mãe também sabe que VOCÊ É SENSATA O SUFICIENTE PARA TOMAR A DECISÃO CERTA!!!!!!!

Não esqueça que a água quente é ligada todo dia às seis da manhã. É o aquecedor que vai fazer aquele ruído surdo engraçado, não é ninguém tentando invadir a casa para roubar. (Mas se lembre de trancar tudo, como Terry ensinou. Incluindo todas as janelas e a porta dos fundos.)

Se achar que há um intruso na casa, ou se tiver uma tempestade imprevista e uma árvore entrar por uma das janelas, ligue para o Max do apartamento de cima. Mas só se for uma emergência mesmo, pois sabe o quanto ele ficou irritado quando a deixamos dormindo sozinha na Páscoa e você achou que tinha um poltergeist em casa.

Se realmente não aguentar ficar sozinha, pode ir para a casa de tio Dee e Yolly. Talvez seu pai volte antes de Edimburgo, assim você poderia ficar com ele como tínhamos planejado, mas como seu pai sempre prioriza a carreira, e não as obrigações familiares, não conte com isso.

Por favor, não leve nenhum tipo de carne para dentro de casa. Mesmo que eu não esteja aí, você sabe o que acho de comer carne, Sunny, e eu ficaria magoada. Em algum nível cósmico, mesmo se eu estiver num acampamento no sul da França, vou saber e ficarei muito desapontada com você.

Tem uma ração úmida especial (e muito cara) para Gretchen Weiner no lugar do Whiskas de sempre. Se ela começar a esfregar o bumbum no tapete de novo e der aquele miado horrível, você vai ter de levá-la ao veterinário para espremer as glândulas anais. De novo. A melhor maneira de fazer ela entrar na caixa de transporte é colocar luvas de borracha bem longas, jogar uma toalha em cima dela e rezar.

Nada de festas. Pode reunir alguns amigos, mas não coloque nenhum convite no Facebook. Não quero chegar em casa e descobrir que quinhentos adolescentes drogados, destruíram completamente a casa. Tenho certeza de que o seguro não cobre algo do tipo.

Fizemos compras antes de sair, mas há 30 libras no falso pote de geleia no armário de metal para leite e perecíveis. Quero as notas fiscais!

Então recapitulando: Emmeline pode ficar aqui. Mark, não. Nada de carne. O aquecedor liga às seis. Fique de olho no bumbum de Gretchen Weiner.

POR FAVOR, NÃO TRANSE COM AQUELE GAROTO (SE TRANSAR — E ISSO NÃO SIGNIFICA DE JEITO ALGUM QUE APROVO A IDEIA DE VOCÊ TRANSAR COM AQUELE GAROTO —, POR FAVOR, USE CAMISINHA).

Deixamos uma caixa de Calippos no freezer.

Nos vemos em uma semana. Você vai ficar bem. Acreditamos em você!

Com muito, muito, muito e muito amor,

Mamãe e Terry

Beijos

P.S.: Dan agradece por você ter concordado em alimentar os lagartos. Ele deixou uma lista detalhada com as instruções sobre o que fazer, mas você não deve bisbilhotar enquanto estiver no quarto. Eu disse que você tinha mais o que fazer que ficar remexendo na gaveta de cuecas dele.

LISTA DO SÁBADO À NOITE

Bolsa ✓
Cartão Oyster ✓
Óculos escuros da Topshop ✓
Protetor labial de cereja ✓
Rímel ✓
Elástico de cabelo ✓
Creme de mãos ✓
Band-aids comuns ✓
Curativos para bolhas ✓
Absorventes ✓
Garrafa de água ✓
Carregador de telefone ✓
Perfume Blackberry & Bay, da Jo Malone, de minha mãe ✓
   (LEMBRAR DE DEVOLVER A SEU QUARTO ANTES
   QUE ELA PERCEBA QUE SUMIU).
Chiclete ✓
Lenços de papel ✓

Cuide-se antes que se estrepe.

20 h

CRYSTAL PALACE

Crystal Palace é um dos lugares mais altos de Londres, e tem esse nome devido ao Crystal Palace construído originalmente no Hyde Park, em 1851, para receber a Grande Exposição. Ele foi transferido para um local em Penge Common, em 1854, tornando-se o centro magnífico de um parque de lazer vitoriano, com labirinto, 33 réplicas de dinossauros em tamanho real e tantas fontes que precisaram construir duas torres de água só para fazê-las funcionar.

Infelizmente, o Crystal Palace foi destruído por um incêndio em 1936, mas o parque ainda existe e é onde fica atualmente o Centro Nacional de Esportes.

Entre as pessoas famosas que moraram na vizinhança do Crystal Palace, estão Sir Arthur Conan Doyle, autor dos livros de Sherlock Holmes, e Francis Pettit Smith, um dos inventores da hélice.

Demoramos mais de duas horas e tivemos de pegar um trem de Victoria, *nem foi o trem de superfície,* mas Emmeline e eu finalmente chegamos ao Crystal Palace Park. Bem, o lugar tem nome de parque, mas é basicamente uma colina gigantesca. Talvez seja até uma pequena montanha.

17

Caminhamos para cima, e mais para cima, ofegando à medida que a inclinação aumenta. As alças das sacolas da loja de bebidas alcoólicas deixam marcas em nossos punhos, e a condensação das garrafas geladas roça nas pernas descobertas. Nossas nucas também estão brilhando, pois ainda está o maior calor — mesmo enquanto o sol começa a baixar sutilmente no céu azul-claro raiado de rosa e laranja.

Não temos ideia de aonde estamos indo.

— O problema do sul de Londres é que, bem, ele não foi feito para ser colonizado. Ou não seria tão difícil chegar aqui — diz Emmeline, ofegante.

— É verdade — concordo. — Mas não está sendo um pouco sulista?

— Não acho que existe sulismo aqui em Londres, Sun. Não é feito racismo, é? Nem homofobia. É só escolher não morar no sul de Londres. Jesus, se essa colina ficar mais íngreme, vamos precisar de ganchos de ferro.

— Não consigo mais falar. Preciso poupar meu oxigênio.

Continuamos nos arrastando. Emmeline estende o telefone na frente do corpo, como se estivesse fazendo radiestesia.

— A gente segue o caminho que dá a volta no Lago Baixo, como estamos fazendo agora, mas tem dois outros lagos e não sei qual deles é mais baixo que os outros e... Ah, olhe! Dinossauros!

— O quê? — Desvio o olhar da mensagem de texto que estava enviando para Mark, e vejo dinossauros bem na minha frente. Não, tipo, dinossauros *reais*. São feitos de fibra de vidro ou algo assim, e estão em poses de ação ao redor do pequeno lago. — Meu Deus, parece *Jurassic Park*.

Emmeline balança a cabeça. Apesar de ela ter se besuntado com protetor solar fator 50, seu rosto está bem vermelho.

— Talvez eu tenha sido chata demais com o sul de Londres.

— Você é chata demais com tudo. É assim e pronto.

— Pois é, eu sei. Gosto de meus pontos fortes — diz Emmeline, prestando atenção no rochedo onde brincam os dinossauros, do outro lado do pequeno lago e de uma grade. Sei exatamente o que ela está pensando antes mesmo que diga qualquer coisa. — Então, deve ter um jeito de a gente entrar na área dos dinossauros e tirar umas fotos, né? Eu e você, montadas num sei-lá-o-quê-sauro. Postar no Instagram. A gente ganharia mais *likes* que na foto em que eu fingi fazer garganta profunda com aquela salsicha Cumberland no seu churrasco.

— Você precisa tirar aquela foto de lá antes que minha mãe veja a prova de que teve carne no quintal da casa dela. — Olho a água. Tem uma lata de Coca boiando desamparadamente na outra margem do lago. — Eu atravessaria o lago numa boa, mas ele não parece muito limpo e não quero pegar doença dos legionários.

— Não dá pra pegar doença dos legionários pisando na água. Vamos, tire os tênis. Estamos de short. Impossível esse lago ser fundo, né? — Emmeline já está desamarrando seus sapatos. — Se a gente pegar alguma doença horrível e você tiver de amputar as pernas, vou visitá-la todo dia. Empurro sua cadeira de rodas. Deixo você ficar com o controle da TV.

— Bem, assim não dá pra recusar, né? — Pelo menos dessa vez, não é difícil. — Não, acho que vou recusar.

— Você não é nada aventureira...

Escuto o barulho do celular. Na hora certa para que Emmeline não tente mais me convencer, o que normalmente, quando acontece, acabo fazendo algo que resulta em detenção/castigo/lesão. Uma vez, quando estávamos numa excursão do colégio ao Globe Theatre para assistir a *Do Jeito que Você Gosta*, Emmeline fez com que eu me juntasse a ela na sua roda punk de uma só pessoa, e eu ganhei as três coisas de uma vez.

Quando tiro o celular das profundezas da bolsa, vejo o rosto de Mark na tela.

— *I got sunshine on a cloudy day.* — Ele canta quando atendo. — Linda, já chegou ao Crystal Palace?

— Sim, demoramos *séculos*! E nem foi no trem de superfície, foi num trem comum mesmo.

— Deixe isso pra lá, Sunny — diz Emmeline que, graças a Deus, está colocando o All-Star de volta, tendo obviamente desistido de andar com os dinossauros. — É o mínimo que pode fazer depois de me obrigar a passar essa semana na sua casa.

— Você gosta de ficar lá em casa.

A mãe de Emmeline trabalha à noite, e a irmã mais velha, Mary (a mãe de Emmeline é muito envolvida com feminismo então escolheu os nomes das filhas para homenagear Mary Wollstonecraft, feminista do século XVIII, e Emmeline Pankhurst, líder das sufragistas — Emmeline acha que ficou com a pior das opções), domina a sala de estar com o namorado repugnante. Eles sempre terminam na horizontal no sofá, trocando beijos molhados, então ela ficar na minha casa não foi exatamente um suplício.

— Sunny! Pare de falar com Em e comece a falar comigo, seu namorado. Lembra de mim?

Sorrio.

— Muito difícil me esquecer de você.

— Ótimo, fico feliz. Então você vai passar só uma hora aí, não é? Depois vai voltar para a civilização, como concordamos. — Não é muito comum Mark demonstrar tanta vontade de me ver. Queria que isso acontecesse mais vezes. — Não acredito que você teve de ir ao Crystal Palace logo hoje.

— Pois é, mas Em e eu fizemos um acordo. Ela me protegeu de intrusos a semana inteira, e hoje sou sua parceira.

— Eu poderia ter protegido você de intrusos — salienta Mark. Ele faz um barulho engraçado, meio engasgando, meio rindo. — Também podia ter feito outras coisas. Podia ter sido uma semana inteira fazendo outras coisas.

— Mas eu não tinha certeza se queria fazer outras coisas...

Olho para Emmeline, que nunca acha errado escutar descaradamente as ligações dos outros — ou as minhas, especificamente —, mas ela está franzindo o rosto para o Google Maps no celular, com o lábio inferior entre os dentes e a franja grudada na testa em mechas úmidas e loiras.

— Mas agora tem? — pergunta Mark, a voz ficando mais aguda e estridente no fim da frase, como se estivesse nervoso. — Quero dizer, você quer?

— Sim, acho que sim. Quero dizer, *você* ainda quer, né?

— Bem, só se você quiser. — Acho que Mark não veria nenhum problema se eu dissesse não, mas o fato de eu estar surtando um pouco não me parece razão suficiente para dizer não. — Mas eu tô dentro se você quiser. No sentido figurado. Não no literal. Sim, mas tô dentro no sentido literal, ou, pelo menos, mais tarde. Você entendeu.

Eu me sinto melhor por ver que Mark, que é sempre tão confiante, tão determinado, tão direto, também está surtando um pouco.

— Eu ficaria ofendida se você não se animasse.

— Ah, vou ficar muito animado. Prometo. — Espero que o sexo se torne um pouco menos apavorante depois que a gente transar, pois uma palavra nunca aterrorizou tanto meu coração; nem palavras como "recuperação", "nesga" ou "couve-flor". — Então vou comprar, tipo, algumas camisinhas e queria saber se você tem alguma, tipo, preferência.

Preferências?

— O quê?

— Reforçada ou colorida... talvez não colorida, pois seria estranho. Ou se você for alérgica a látex, podemos comprar uma daquelas especiais sem látex — diz Mark rapidamente. — Você não é alérgica, é?

— Acho que não. Compre apenas alguma que não deixe o esperma passar.

Fico impressionada por ter conseguido falar com uma voz calma, mas depois dou uma risada, pois essa conversa é muito surreal e também prova que a suposta intuição especial de mãe está errada.

Mark é encantador e está bem informado e sendo responsável para que a gente não pegue nenhuma doença nojenta nos genitais ou para que eu não engravide. Para resumir, ele está sendo um namorado maravilhoso.

— Tá certo — diz Mark. — Vou comprar. A gente se encontra às onze no Lock Tavern?

— Sim, nos encontramos lá. E amanhã cedo você me ajuda a encerar o barracão e terminar de limpar os restos de carne do churrasco? Acho que estou surtando mais com isso de arrumar a casa antes que minha mãe volte da França que com o sexo.

— Depende. Se você for ruim de cama, vou inventar alguma desculpa para ir embora.

— Não diga isso! Talvez eu seja ruim. Provavelmente vou ser ruim. É a primeira vez. Não me pressione...

— Sunny! Sunny! Foi uma brincadeira. Eu estava brincando. Tenho de sair bem cedo porque vou almoçar na casa de minha avó em Godalming, mas a gente se ama, não é?

— Bem, sim...

— Então vai ficar tudo bem. Nos vemos mais tarde, linda.

Estou sentindo tantas coisas. Todas as coisas. De uma vez só. Nem consigo analisá-las, pois Emmeline empurra o celular bem no meu rosto e diz para eu sorrir, então agora o susto que tomei está falando mais alto.

— Não faça isso!

— Queria tirar uma última foto sua no estado de virgindade — explica ela, e me mostra a tela do celular, onde eu estou com o rosto reluzente e confuso. — Não acredito que vai transar. Com Mark!

— Com quem mais eu transaria?

Ela balança a cabeça.

— Vamos. É melhor a gente se apressar, pois você tem um compromisso urgente com o pênis de Mark mais tarde. — Emmeline se afasta com o passo pesado, sem me esperar. Ela sabe caminhar muito bem com passos largos. Acha muito melhor que andar normalmente.

— Não acredito que não me contou — diz ela, quando a alcanço.

22

— Só decidi mesmo hoje de manhã, e achei que você fosse ficar um pouco... sabe...

— Só acho, Sunny, que você não está pronta — argumenta Emmeline, como se fosse muito mais velha e sábia que eu, quando na verdade ela nasceu apenas dois meses antes de mim e precisou refazer a prova de matemática de fim de curso. — A gente não conhece ninguém que já tenha transado, e você não é muito... não estou dizendo isso de uma maneira ruim... você não é muito desbravadora, é?

Ela não está dizendo isso de uma maneira ruim. Eu *realmente* não gosto de me arriscar. Fui a última do grupo a usar calça boyfriend e esmalte neon, e a fazer rafting na nossa viagem do Outward Bound com o colégio. E, mesmo assim, quando entrei no bote, tive um ataque de pânico, caí aos prantos e decidi que viveria muito feliz sem a possibilidade de uma morte horrível e dolorosa de encontro às rochas. De todo jeito, eu não seria a primeira deles a transar.

— Alex já transou, e os garotos já transaram.

— Os garotos não contam — rebate Emmeline imediatamente. — Porque eles são todos mentirosos. Tipo, que coincidência todos terem transado com garotas aleatórias. "Ah, você não a conhece. Eu a conheci na casa do meu primo, sabe." Ou então: "sim, ela estuda num colégio do outro lado de Londres." Mentira! São todos virgens, e Alex ficou muito bêbada em Glasto, transou com um cara qualquer num trailer que estava vazando. E preciso lembrar com quem ela foi para Glasto?

Suspiro.

— Com os pais. E sim, também me lembro de que ela pediu que parassem numa farmácia a caminho de casa pra comprar a pílula do dia seguinte.

Emmeline me lança um olhar puritano.

— Ela disse que perder a virgindade foi a pior experiência da vida dela.

— Sim, mas... é completamente diferente porque Mark não é um cara qualquer. Estamos juntos há oito meses, e nos amamos.

— Vocês se amam! — Emmeline tem mesmo dificuldade com sentimentos. — Enfim, o que sabe sobre ele? Ele apareceu do nada para fazer o A-Level com sua voz elegante e seu cabelo desleixado e elegante, e só sai com você a cada 15 dias, o que é muito, muito suspeito.

Não digo nada por um tempo porque o caminho ficou tão íngreme que é quase vertical; só consigo ofegar. Quando fica um pouco mais nivelado, consigo defender Mark.

— Os pais se divorciaram, e ele precisou sair do colégio interno e se mudar para o outro lado de Londres. Não tem nada de estranho nisso. Você devia sentir pena, isso sim.

— Olhe, não estou dizendo que ele é malvado ou algo assim. Só estou dizendo que ele me deixa um pouco inquieta — insiste Emmeline. — Eu julgo muito bem as pessoas. Você sabe disso.

— Acho que está sendo dura demais. — Precisei me preparar para dizer isso, pois agora Emmeline está com as narinas alargadas como se fosse um pequeno touro zangado. — Ele sempre foi muito legal com você. E quando ficou trancada fora de casa e ele subiu pelo lado e entrou pela janela do banheiro para se ajudar? Ou quando gastou o dinheiro do almoço num bilhete de loteria...

— Era um prêmio acumulado!

— Que seja. Você teria passado fome se Mark não tivesse comprado um sanduíche pra você e...

— Cale a boca! — Foi a maior grosseria, mesmo para Emmeline, especialmente porque ela também agarrou minha camiseta. — Cale a boca e olhe aquilo!

Estamos no pico da colina. Olho na direção que o dedo de Emmeline está apontando, e vejo Londres. Londres inteira. Não a Londres que costumamos ver do alto de Primrose Hill ou de Ally Pally. Nós só tínhamos visto o horizonte de Londres do norte, e agora estamos do lado errado. Do outro lado.

Lá está o Gherkin. O prédio engraçado que parece um ralador de queijo. O Shard, e bem mais distante à esquerda está a cúpula de St.

Paul's Cathedral. Entre eles, há igrejas e prédios residenciais altos. Guindastes e andaimes. Não importa de que lado observamos o horizonte; sempre me sinto em casa. É Londres.

Enquanto estamos paradas, Emmeline lança o braço ao redor de meu pescoço. O tempo está quente e grudento demais para que alguém faça isso, mas por mais que a gente discuta, estar ao lado de Emmeline também faz com que eu me sinta em casa.

— Eu amo este lugar — declara ela de repente. — Quando vejo a cidade assim, toda grande e impressionante, penso no quanto minha vida é pequena em comparação, mas eu ainda faço parte dela, não é, Sun?

— Talvez eu ame a cidade de Londres por ser uma londrina — canto, com um sotaque trêmulo e ridículo.

Emmeline afasta o braço e me empurra levemente.

— Não faça isso. É horrível — diz ela estremecendo. — Parece Dick Van Dyke.

— Deus te abençoe, Mary Poppins! — gritamos nós duas, como fizemos tantas vezes antes, e nossa discussão acaba na hora.

Elas sempre começam do nada e desaparecem por causa de um olhar compartilhado, uma piada, uma pequena observação que nos lembra do quanto nossa amizade é antiga, forte, do tipo que aguenta tudo — até mesmo o fato de Emmeline ser tão mandona ou minha incapacidade de manter a mesma opinião.

Emmeline entrelaça o braço com o meu. Começamos a andar novamente, e ela pergunta baixinho:

— Está com medo?

Tenho medo de tantas coisas. Às vezes, à noite, não consigo dormir porque fico listando todas as coisas que me dão medo, e já tenho até uma nova sublista de medos dedicada apenas ao que vou fazer com Mark daqui a algumas horas.

Tenho medo de que vá doer.

Tenho medo de que vá ser péssimo e de que eu não queira nem beijar Mark depois, e de que seja nosso fim.

25

Tenho medo de que seja maravilhoso, de que eu queira transar o tempo inteiro e de que todo mundo fique achando que sou a maior piranha.

Tenho medo de que eu faça algo de errado. Meu Deus, tem tantas coisas que posso fazer errado. Quando penso em sexo, em onde vai isso ou aquilo e em quanto tempo demora, tudo me parece ridiculamente e desnecessariamente complicado.

Tenho medo de que, quando eu ficar pelada, Mark olhe todas as partes de meu corpo, meus peitos, meus joelhos protuberantes, as discretas estrias nos meus quadris e *aquilo* (e ninguém nunca olhou meu *aquilo* antes), e sinta tanto nojo que *literalmente* não consiga ficar de pau duro.

Tenho medo de que eu já esteja com calor e suada, e de que fique com ainda mais calor e mais suada se eu não tomar um banho primeiro.

Tenho medo de que Mark ache que seria sexy a gente tomar um banho juntos e que talvez eu me sinta pronta para transar com ele, mas não para tomar banho com ele.

— Apavorada — respondo para Emmeline. — Mas tenho medo de tudo, não é?

Emmeline faz que sim.

— Mas estranhamente você é a única pessoa que conheço que não tem medo de aranhas.

Fico me sentindo melhor imediatamente. Não tenho nenhum problema com aranhas. Se eu fosse levada para a floresta num *reality show* terrível, gritaria como louca se tivesse que atravessar uma ponte de corda desgastada ou nadar em rios cheios de jacarés, mas enfrentaria aranhas nojentas numa boa.

— Bem, pelo menos isso.

— Talvez você fique menos nervosa se pensar que Mark é uma aranha gigante — argumenta Emmeline. — Várias perninhas peludas se agitando em cima de você. Eca! Eu que estou ficando com medo.

— Por favor, não fique imaginando que meu namorado é um aracnídeo gigan...

— Em! Emmy! Aqui!

Tem um grupo de pessoas espalhadas no declive coberto de grama mais abaixo, a maioria garotas, e uma garota em particular, Charlie, está acenando para chamar a atenção de Emmeline.

Emmeline lambe os lábios e agitadamente passa os dedos na franja, que terminou ficando grudada com o calor.

— Estou bonita? — pergunta ela ansiosamente. — Não acha que minhas pernas estão incrivelmente grossas com esse short?

— Não! Você está linda. — Já estou descendo o declive, e Emmeline continua parada. — Venha! Só tenho uma hora!

DEZ MINUTOS DEPOIS

Outra coisa que me dá medo são os novos amigos de Emmeline. Mas não acho que isso seja coisa minha; acho que é normal quando você está com as novas amigas de sua velha amiga, que ela conheceu depois que entrou para a Liga Recreativa de *Roller Derby* de Londres, onde ela está meio que em fase de treinamento.

Não pensei ser possível Emmeline ficar mais barulhenta ou competitiva do que já era (nunca mais jogo Banco Imobiliário com Emmeline depois que ela arremessou o tabuleiro para longe quando construí hotéis em Bond Street, Regent Street, Oxford Street e Park Lane), mas então ela descobriu o *roller derby*. Agora ela coloca um par de patins e ganha pontos por gritar e ser competitiva com quem aparecer na sua frente.

Emmeline queria que eu me inscrevesse também, mas eu não queria correr o risco de cair e quebrar alguma parte essencial do corpo que não pudesse ser consertada. Porém, foi mais por causa do capacete. Nem quero pensar no que ele faria com meu cabelo.

Mesmo assim, as amigas do *roller derby* de Emmeline são bem legais quando não estão se mutilando, e não sou a única negra presente, o que costuma acontecer muito quando me atrevo a sair da diversidade racial do bairro londrino de Haringey (ou República Popular de Haringey, como meu pai diz sarcasticamente), então apesar de estar de olho no relógio, eu me apoio nos cotovelos e tento me divertir.

Estamos no piquenique de aniversário de uma das garotas do time B do *roller derby* de Londres. Emmeline e eu fizemos palitos de queijo e bolinhos de frutas hoje à tarde, e eles só ficaram um pouco queimados. Agora estão todos arrumados em toda a sua glória levemente queimada em cima de um prato de papel, ao lado de quiches e saladas, enroladinhos de salsicha, enroladinhos de salsicha vegetarianos, enroladinhos de salsicha veganos, alguns sanduíches bem moles e uma quantidade incrível de bolos caseiros, tudo em cima de uma toalha xadrez, definhando com o calor.

Emmeline está conversando com as amigas, e eu deixo as palavras passarem por cima de minha cabeça, como as minúsculas nuvens pretas no céu azul que escurece acima de mim. De vez em quando, tomo um gole de uma das garrafas de cerveja que trouxemos, apesar de não achar o gosto bom — mas Emmeline disse que, se a gente chegasse com garrafas de Bacardi Breezer, daríamos a impressão errada.

Mais um grupo de garotas chega com dois pugs cor de areia. Os pugs, Fred e Ginger, tentam avançar para cima dos enroladinhos de salsicha. Depois eles percebem que estou olhando e se aproximam lentamente, com a baba pendurada na boca. Eles me pressionam dos dois lados e rolam para cima imediatamente, mostrando as duas barrigas imponentes, provavelmente para que eu as coce.

Até os dois pugs a quem ainda não fui apresentada acham que sou molenga.

— Oi, Sunny. Está tudo bem? — Charlie senta do meu lado com o prato encurvado de tanta comida. Assim ela também ficou bem mais perto de Emmeline. — Pediram seu passaporte quando atravessou a fronteira para o sul de Londres?

Charlie é bem legal. Ela é superlegal. É o que Emmeline acha, mas apesar de toda a atitude, Em acha difícil dar em cima de uma pessoa de quem está a fim há meses. É por isso que estou aqui — para ajudar Emmeline.

Ser sua parceira.

Porém, a verdade é que não sou muito boa em elogiar Emmeline e incluí-la na conversa gradualmente. Tudo que consigo é dar um relato detalhado e muito entediante de nossa jornada de Crouch End até ali.

— E depois trocamos em Highbury e Islington, apesar de eu ter dito pra Ems que a gente devia ter pegado o ônibus para Dalston Juction e depois o trem de superfície até o fim, mas ela disse que a opção dela era muito mais rápida, *então* a gente trocou de novo em Victoria e demoramos séculos até chegar em Penge West.

Pego uma delicada tortinha de queijo de cabra e tomate, que parece ter sido feita em alguma delicatéssen luxuosa, e não na cozinha de alguma garota que faz *roller derby*. Enfio a tortinha inteira na boca para não falar mais. Melhor decisão que tomei no dia.

— Precisa provar isso, Ems — murmuro, sentindo a saborosa explosão de sabores.

Era a deixa que ela esperava desesperadamente. Emmeline se aproxima, de joelhos.

— E aí? — diz ela. — Ah, oi, Charlie...

— Oi, Ems.

Elas se olham e depois desviam o olhar, como se nunca tivessem se agarrado numa festa depois de uma partida de *roller derby* em Cardiff.

— Essas tortinhas de mirtilo parecem incríveis — murmuro, e Charlie sorri para mim, agradecida.

— Sim, Chloe disse que só convidou *aqueles dois* porque sabia que eles trariam tortinhas maravilhosas.

Estendo as pernas. Sei que vou ficar com a marca da grama na parte de trás das coxas quando me levantar.

— Quem faz tortinhas maravilhosas?

— Aqueles franceses, os Godards.

Eu endireito a postura imediatamente.

— Eles estão aqui! Sério?

Olho ao redor freneticamente, e, na parte mais longe do círculo de pessoas ao redor da comida, tem dois garotos magros e pálidos lado a lado. Pode estar quente, mas eles estão de ternos pretos, de corte *superjusto*, para combinar com seus corpos magros, e óculos escuros. O cabelo escuro de ambos é quase do tamanho do meu.

Emmeline esquece que está sendo tímida.

— Meu Deus! São eles! — Ela agarra minha mão. — Achei que fossem uma lenda urbana!

Os Godards. Garotos franceses. Antes existia só um. A gente o via andando tranquilamente de lambreta pelo norte de Londres. Depois de um bom tempo, cerca de um ano atrás, apareceu o segundo. Como se o Godard número um tivesse se clonado. Ninguém sabe se são gêmeos ou melhores amigos ou namorados. Tem até um boato de que eles nem são franceses. Todo mundo tem uma opinião sobre eles. Existe até um Tumblr, FuckYeah!TheGodards, em que as pessoas dizem onde os avistaram e postam fotos dos dois.

A única pessoa que sei que os conhece é, surpreendentemente, minha mãe. Eles têm um café que funciona em uma antiga van da Citroën, e ficam dois dias por semana em Spitalfields, onde fica a loja de antiguidades dela.

— Garotos ótimos — diz ela sempre. — Café ótimo. Comida ótima. Tão bem-educados.

Uma vez, ela até pediu para um deles escrever um e-mail em francês para um vendedor de antiguidades em Toulouse, que vendera para ela um jogo de quarto cheio de caruncho.

— Aparentemente, eles não são gays — comenta Charlie. — Uma vez eu vi os dois numa boate tentando ficar com a mesma garota.

— Não que ser gay seja errado — digo, pois eu devia estar ajudando Emmeline. — Não tem nada de errado mesmo.

— Sim, obrigada, Sunny. — Emmeline consegue estender a perna e me chutar, e não sei por que estou aqui para ajudá-la, se ela não vai fazer nada; ela está apenas lançando olhares dissimulados para Charlie, e, quando Em não está vendo, Charlie também fica encarando-a.

Preciso ir embora em 20 minutos. Não tenho tempo para isso.

— Vá logo falar com ela. De verdade. Vai! — sussurro.

— Não posso simplesmente começar a falar com ela do nada.

— Pode sim. É o que as pessoas fazem quando gostam de outras pessoas. Quer que eu suma um pouco? Posso pegar mais tortinhas. — Não estou oferecendo só por generosidade. Quero olhar os Godards de perto. — Posso dar para Charlie um de nossos bolinhos de frutas. Um que não esteja todo carbonizado. Para mostrar o quanto você sabe cozinhar.

— Nem se atreva — resmunga Emmeline. — Sei me virar sozinha.

— E se virar é o mesmo que não fazer nada?

— Olhe que eu te chuto de novo. Isso seria fazer alguma coisa?

Está quente demais, e estou confortável demais para dizer a Emmeline que não.

— Então, Charlie, Em está precisando trocar as rodas dos patins. Onde comprou as suas?

Essas palavras mágicas fazem Emmeline e Charlie começarem a conversar, e estou bem alegre sentada aqui, passando minha noite de sábado comendo tortinhas e acariciando as barrigas gordas dos pugs.

Então meu celular faz um barulho, e, na mesma hora, minha alegria acaba.

Deve ser Mark dizendo que minha hora terminou. O medo volta. O medo é amargo e afasta a doçura da massa da tortinha e o gosto salgado do queijo de cabra. Pego o celular e fico aliviada e somente um pouco desapontada quando vejo a mensagem de Martha.

Emmeline e eu a chamamos secretamente de Ai-Meu-Deus-Martha porque toda vez, quando começa a falar, ela diz: "Ai, meu Deus, você nunca vai acreditar no que eu acabei de descobrir!". Ela é o TMZ de Crouch End.

Porém, preciso admitir uma coisa — as fontes de Martha costumam ser impecáveis.

— Mensagem de Martha — aviso a Emmeline. — Tem uma foto em anexo, então deve ser coisa boa.

— Ah, deixe eu ver! — pede ela.

Ergo o celular para que Emmeline enxergue perfeitamente minha tela, e... nós duas dizemos:

— Ai, meu Deus!

Fecho os olhos. Não consigo olhar. Não consigo *não* olhar. Abro os olhos de novo e tudo que vejo é a foto de um garoto que parece Mark, meu Mark, com a boca colada na boca de uma garota que não sou eu. Ele está com a mão na bunda arrebitada dela, que está aparecendo quase toda por causa do short curtinho.

AI, MEU DEUS! Mark está com essa garota no Lock Tavern. Vcs terminaram? :(bjs M

— Por que ela acharia isso? Ela sabe que a gente não terminou. Ela foi ao meu churrasco dois dias atrás, quando eu estava com Mark. Nós dois estávamos superjuntos. Enfim, esse cara nem parece Mark. — Eu sento e semicerro os olhos, focando na tela. — Não é ele.

— Bem... isso parece a pulseira da amizade vermelha que você deu para ele, e essa parece a camisa quadriculada azul que você roubou de Terry e que Mark pegou emprestada e nunca devolveu — salienta Emmeline.

— Muitas pessoas têm pulseiras da amizade vermelhas e camisas quadriculadas azuis. Muitas.

Meu celular faz barulho de novo. É Ai-Meu-Deus-Martha.

Aqui vai outra foto. Achei que vc devia ver. :(Amo vc bjs M

É a mesma garota de cabelo brilhante beijando um garoto que só pode ser Mark. A foto foi tirada de um ângulo um pouco diferente, então não tenho mais como confundir seu cabelo loiro desleixado nem a pinta no maxilar que beijei incontáveis vezes. Reconheço até a cueca azul-marinho, pois ele usa a calça jeans tão baixa que ver a cueca de Mark mesmo antes de a gente transar era inevitável.

A dor é repentina e avassaladora. Como dar uma topada com o dedão ou prender o dedo na porta. Antes mesmo que eu perceba, as lágrimas surgem e escorrem pelo meu rosto. Eu me encurvo e respiro fundo. Emmeline põe a mão nas minhas costas.

Tem de existir uma explicação perfeitamente razoável para o fato de Mark estar dando o maior beijo, com um pouco de língua até, em outra garota, mas não consigo pensar em nenhuma.

— O que eu faço? — pergunto a Emmeline. — Ligo para ele?

— Talvez você não devesse ligar pra ele. Não enquanto estiver tão chateada — diz Emmeline, mas já apertei o botão de ligar.

Escuto o ruído de estática, e depois cai direto na caixa postal. Ouço a voz de Mark, sua voz ridícula.

— E aí! Você sabe o que fazer.

Abro a boca e faço esforço para puxar o ar, mas, antes que eu possa dizer alguma coisa, Emmeline agarra o telefone de minha mão.

— Não. Não vai deixar mensagem. Ele não vai se safar assim. Beijar outra garota e depois levar um pé na bunda por caixa postal. Ele merece algo bem pior, e você merece algo bem melhor!

— Mas pode ter sido um beijo inocente. Tá, não parece, mas pode ter sido — protesto.

Então caio aos prantos.

Estou sentindo uma dor no peito e estou pegajosa e com frio, e chorando na frente de um monte de gente que não conheço muito bem.

— Sunny, por favor, não chore. — Emmeline não é de abraçar os outros, então ela esmurra meu braço gentilmente. — Odeio quando você chora. E vai terminar estragando sua maquiagem.

Com muito esforço, consigo parar bruscamente. Nem tirei os óculos escuros e, quando passo o dedo debaixo de cada olho, percebo que estão manchados de rímel preto.

— Más notícias, Sunny? — Charlie está nos observando com uma expressão constrangida; ela é uma testemunha involuntária de meu desespero repentino. — Quer um lenço? Quer que eu vá pegar alguns guardanapos?

— Problemas com o namorado — murmuro. — Tenho lenços na bolsa, mas obrigada.

— Problemas com o ex-namorado — esclarece Emmeline, com firmeza. — Ênfase no ex. Não tem volta depois disso. Temos evidências no seu celular. Essas fotos poderiam ser usadas no tribunal como prova de que Mark não presta. Eu sabia! Só não sabia que ele também te traía.

— Traidores são os piores — concorda Charlie.

Como se eu quisesse ouvir o que ela acha de meu namorado. Não quero mesmo.

— Meu namorado me traiu uma vez; não deixei que isso acontecesse uma segunda. Dei o maior pé na bunda dele — diz uma das garotas sentadas atrás de nós.

— A única coisa que um traidor entende é um pé na bunda.

— Por que eles acham que vão se safar toda vez que são descobertos?

— Pois é, a gente precisa ter tolerância zero com os traidores.

É um coro grego de garotas do *roller derby* opinando sobre namorados ruins que tiveram, e dizendo que não podemos mostrar nenhuma piedade.

Não consigo pensar. Não consigo organizar a mistura de emoções que disputam minha atenção. Tudo que consigo fazer é olhar as fotos em meu celular.

Então o celular faz barulho de novo. Eu o desligo e guardo na bolsa. Não estou preparada emocionalmente para lidar com as preocupações de Ai-Meu-Deus-Martha me provocando.

— Preciso ir embora — aviso, e me levanto com dificuldade. Eu tinha razão, fiquei com a coxa marcada por causa da grama, mas isso é o menor de meus problemas. — Preciso fazer umas coisas.

Não faço ideia de que coisas são essas. Deve ser chorar mais no pé fedorento de Gretchen Weiner, e, de vez em quando, tentar criar coragem e ligar para Mark, perguntar o que diabos está acontecendo. Ao mesmo tempo, não tenho coragem de ligar para Mark porque es-

34

tou com a sensação terrível e nauseante de que ele deixou de me amar na última meia-hora, desde que a gente se falou pela última vez. Mas não entendo como nem por quê. Não estou entendendo nada.

— Sim, é isso aí! Vá atrás dele e diga bem na sua cara o quanto ele é babaca — sugere Charlie.

Ela esmurra meu braço com bem mais força que Emmeline. Dói. Essas garotas do *roller derby* nunca percebem o quanto são fortes.

— Vai mesmo fazer isso? — pergunta Emmeline, desconfiada. — Vai para casa se lamentar, não é? — Ela começa a juntar suas coisas. — Tá bom, tudo bem, vou com você. Não vou deixar ninguém se lamentar do meu lado.

— Vou ficar bem — asseguro rapidamente.

Apesar de apreciar a oferta, Emmeline veio correndo até o Crystal Palace para passar um tempo com as amigas do *roller derby*, e, ainda mais importante, para conseguir algum avanço amoroso com Charlie. Não quero estragar seu futuro romântico.

— Você não está bem — insiste Emmeline. — Quem estaria bem? Vamos fazer o seguinte, quando chegarmos a sua casa, pegamos tudo que Mark deixou lá e queimamos. Assim vai se sentir melhor.

Eu não me sentiria melhor, e naquela semana já aconteceu um incidente infeliz envolvendo chamas; eu não daria conta de outro.

— Por favor, Em. Não vou conseguir lidar com sua abordagem durona agora. Preciso de sorvete e de minha coberta especial da tristeza.

Emmeline estremece ao ouvir falar da minha coberta especial da tristeza (muito esfarrapada e meio que fedorenta).

— Posso amenizar a abordagem durona.

Vejo sinceridade em seu rosto, não tem nada dissimulado. Ela está sendo direta. E falando sério. Se eu quiser que ela volte comigo para o outro lado de Londres, até minha casa, para fecharmos todas as janelas, isolar o calor do verão e tomar sorvete, pois é o que se faz nessas situações, ela vai topar. Sei que é verdade, apesar de não ter certeza de muitas outras coisas. E Emmeline vai dizer que jamais

35

gostou muito de Mark. Ela vai dizer muito isso. Vai dizer até que aquela garota parecia uma vagabunda, apesar de a mãe de Emmeline sempre dizer que a gente não devia xingar outras garotas — mesmo se elas merecerem.

Emmeline vai fazer isso por ser minha melhor amiga, mas ela lança uma olhadela inevitável na direção de Charlie. É esperançosa, muito esperançosa — e, de repente, sua esperança se transforma em lamento.

Mas isso de melhor amiga é uma via de mão dupla.

— Ah, não — digo. — Eu vou ficar bem, sério. Prometo que não vou ficar muito na fossa. Só preciso organizar minha cabeça, talvez falar com Mark. E de todo jeito preciso limpar o apartamento antes que minha mãe e Terry voltem, e, se a dor de cotovelo falar mais alto, eu ligo para Alex, Martha ou Archie. Acho que vou ligar de todo jeito. Eles me ajudaram a fazer aquela bagunça.

Então ergo o queixo e consigo sorrir. De um a dez, é um sorriso nota três, no máximo.

— Tem certeza? — pergunta Emmeline.

— Muita. E, se eu mudar de ideia, a gente pode se encontrar no centro mais tarde, se vocês ainda forem à boate.

Embrulhei vários bolos e tortinhas em guardanapos para aguentar a longa jornada. Alguém me dá indicações tão detalhadas para sair do parque que nem eu vou conseguir me perder. E instruções para não ir até Penge West dessa vez, e sim até a estação Crystal Palace e trocar para a linha norte ao chegar em Clapham.

— É melhor eu me mandar. Me desculpem por ir embora — digo, acenando sem disposição para combinar com o sorriso nota três.

Assim que subo a colina e desapareço de vista, pego o celular e ligo para Mark.

Ele atende no primeiro toque.

— Linda — diz ele, em vez de atender cantando sobre a luz do sol, como costuma fazer. — Ia ligar pra você agora. Não é o que você está pensando, não mesmo.

RAZÕES PELAS QUAIS ACHEI QUE MARK ERA O DONO DO MEU CORAÇÃO

1. Toda vez que nos falamos ao telefone, ele me cumprimenta com uma música que tem meu nome. No dia mais nublado de todos, ele canta: *"Don't blame it on the sunshine, don't blame it on the moonlight."* Isso sempre espanta as sombras.
2. E, no meu aniversário, ele fez uma playlist chamada Sunshine no Spotify e pediu para todo mundo colocar músicas nela.
3. Ele foi o primeiro garoto que beijei, e agora não consigo me imaginar beijando outro.
4. Ele sempre reclama com a mãe quando ela beira o racismo. O que acontece muito. ("Então, Sunny, esse apelido tem origem africana?"; "Seu pai é advogado? Mesmo? Que coisa mais extraordinária."; "Você deve ser ótima de dança, não é? Sempre achei que seu povo deve ter um senso de ritmo natural.") Uma vez, ele até ameaçou denunciá-la para o Conselho de Raça e Igualdade.
5. Toda vez que ele vai até Crouch End sozinho durante o almoço, sempre compra um pão-doce belga da loja Greggs para mim.
6. No dia em que ficamos pela primeira vez, ele leu na aula de inglês *The Waste Land*, de T. S. Eliot, olhando para mim o tempo inteiro, fazendo eu sentir coisas que jamais sentira antes.

7. Não quero ser superficial nem nada do tipo, mas Mark é DJ. As pessoas pagam para ele entretê-las com música. Bem, o pai de Archie lhe deu 50 libras quando ele foi o DJ na festa de aniversário de Archie, e ele foi pago em cerveja quando substituiu o DJ na festa de bodas de prata dos pais de Alex porque o cara tinha colocado "Hi Ho Silver Lining" em looping.

8. Ele sempre segura minha mão quando me acompanha até minha casa depois do colégio. Sempre.

9. Ele passou boa parte do dia de hoje, o dia mais quente do ano até agora, me ajudando a repintar o barracão. Apesar de Emmeline ter dito que, se ele e Archie não tivessem colocado fogo na vassoura e tentado rodopiá-la, o barracão nunca teria ficado chamuscado. (Observação: comprar vassoura nova antes de minha mãe voltar).

10. Nunca imaginei que ele se agarraria com uma vagabunda qualquer de short curtinho sem eu saber.

21h23

CLAPHAM

Antes de a ferrovia chegar, em 1863, Clapham era toda campos verdes e famosa pelas colheitas de lavanda. O conhecido Clapham Common, de 220 acres, era o ponto de encontro preferido dos ladrões de estrada no fim do século XVII, quando o famoso escritor de diários Samuel Pepys morava ali.

Clapham fazia parte de Surrey até a criação do Condado de Londres em 1898. A estação Clapham Junction (uma das mais movimentadas da Europa) chamava-se originalmente Battersea Junction, mas o nome foi mudado para Clapham porque soava mais elegante. Os moradores de Battersea continuam muito magoados com isso.

Brian Dowling, vencedor da segunda temporada do Big Brother, Graham Greene, autor de Brighton Rock, *e as irmãs Anna e Ellen Pigeon, que em 1873 se tornaram as primeiras montanhistas mulheres a atravessar o Matterhorn, são alguns dos famosos que moraram em Clapham.*

Quando escuto a voz de Mark, percebo que estou zangada. Furiosa. Enlouquecida de raiva.

Meu pai sempre me diz para não ficar zangada.

— Não seja a garota negra zangada — diz ele. — É o que as pessoas esperam.

Quando ele tinha minha idade e morava em Ladbroke Grove nos anos 1980, sempre era parado pela polícia por simplesmente andar pela rua. Ou por estar sentado no banco de trás do carro de um amigo. Ou por estar numa esquina. Ele era parado e revistado. Chamado de crioulo pelos policiais. Meu pai dizia que eles queriam que ele ficasse zangado, então nunca fez isso.

Aquilo o motivou a trabalhar bastante, e hoje ele é um advogado que luta do lado da justiça e do bem, apesar de ainda ser parado de vez em quando porque a polícia acha que se você é negro e tem um carro caro, certamente é traficante. O que é ridículo. Como se algum traficante de respeito fosse dirigir um Volvo.

Com meu pai me dizendo que as pessoas veem primeiro a cor da minha pele e minha mãe me dizendo que o que importa não é quem sou, mas o que faço, não é de surpreender que eu fique confusa com tanta facilidade. Também não é de surpreender que eles tenham se separado antes de eu completar 3 anos.

Enfim, agora estou furiosa, e é maravilhoso.

— Nem quero falar com você — digo a Mark, e estou falando sério.

Mark fala comigo mesmo assim. Ele diz:

— Eu estava sendo beijado, não estava beijando, juro.

E eu digo:

— Pois é, sua língua realmente parecia uma testemunha inocente. Tente outra desculpa.

Agora estou subindo no trem na estação Crystal Palace, e Mark diz:

— Um monte de amigos antigos de Chelsea simplesmente apareceu no The Lock Tavern, e eles têm um jeito diferente do nosso. É beijinho pra lá e pra cá, "querido" isso, "querido" aquilo.

Esses são os amigos de Chelsea que jamais conheci, e com quem Mark passa fins de semana alternados para poder beijar garotas que não são eu, tendo a certeza de que nunca vou descobrir sobre eles. Isto é, até agora.

— Que seja — digo impaciente. — Claro que você jamais quis que eu os conhecesse. Estava preocupado demais achando que eu ia esbarrar com sua *namorada-de-fins-de-semana-alternados*, aposto!

— Não queria que você os conhecesse porque eles são uns babacas — diz ele. — E eu viro um babaca quando estou com eles, e assim você não me amaria mais.

Enquanto falamos, meu celular não para de fazer barulhos, parece possuído. Acho que Ai-Meu-Deus-Martha compartilhou a ótima novidade e agora as mensagens de "Vc tá bem, amore?" estão ficando mais frequentes, o que apenas aumenta minha fúria.

— Eu descobri por Ai-Meu-Deus-Martha. Você me envergonhou completamente.

Então Mark começa a reclamar sem parar sobre Martha, como se tudo fosse culpa da garota, quando na verdade ela não tem culpa de nada.

— Isso é típico de Martha — diz ele. — Meter o nariz onde não é chamada. Ela adora criar confusão. Você sabe que ela tem ciúmes de nós dois; está sempre por perto quando a gente quer ficar a sós. Está sempre criando dramas também. Como daquela vez quando ela tuitou aquele clipe de Archie tentando andar de skate em cima do murinho do lado do prédio de ciências, e ele terminou suspenso.

— Ela não fez aquilo de propósito — argumento, mas sem muita raiva porque agora me lembrei da vez em que fiquei de castigo porque Martha tuitou minha foto no balanço de Parkland Walk, e mamãe viu e descobriu que eu tinha matado a aula de revisão. — Alguém devia tirar o telefone dela.

— Ela meio que odeia tudo. Enfim, onde você está? — pergunta Mark.

Ainda está cedo para mudarmos de assunto, pois nem começamos a falar sobre o principal, mas percebo que cheguei a minha parada.

Eu me levanto.

— Estou em Peckham Rye. Preciso trocar para o trem de superfície agora e ir até Clapham.

— Peckham? Não é onde se passava *Only Fools and Horses?* — pergunta Mark. — Você se sentiria melhor se me chamasse de tolo? Ou se eu cantasse a música-tema?

Fica cada vez mais difícil continuar zangada com Mark. Especialmente agora que também estou zangada com Martha e com o fato de que é muito difícil sair do sul de Londres. É como se não quisessem que você deixasse este lugar.

Mark parece perceber que estou fraquejando.

— Amo você — diz ele. — Você é a única coisa boa que me aconteceu desde que meus pais se separaram. Não vou fazer nada para estragar isso. Puxa, Sun, você sabe que eu nunca beijaria outra garota de propósito. Especialmente hoje... mas não precisamos fazer nada hoje. A gente faz o que você quiser. Posso ajudar a limpar a casa, e depois você me obriga a ver *Meninas Malvadas* pela milésima vez. Mas venha logo pra cá, Sunny. Onde está agora?

— Estou a uma parada de Clapham High Street — digo. — Depois preciso trocar para o metrô, então tenho que entrar daqui a um minuto.

— Mas você acredita em mim, não é? Ela que estava me beijando, eu não a estava beijando, e minha mão meio que agarrou a bunda dela no susto. Sei que parece muito estranho, mas é a verdade.

Eu tinha me esquecido da mão na bunda, e realmente parece muito estranho, mas uma vez, quando eu estava voltando pra casa de madrugada, eu me desequilibrei ao andar no ônibus conforme ele passou por cima de um quebra-molas, então caí de cara no colo de Archie. Claro que Archie ficou todo vermelho e todo mundo, até desconhecidos, riu de mim. E agora, pensando bem, foi Martha que piorou ainda mais a situação, dizendo:

— Não sabia que você gostava *tanto assim* de Archie.

Ela riu, como se eu não estivesse envergonhada o suficiente.

E o que Mark fez? Ele me puxou do colo de Archie, viu que meus olhos estavam quase lacrimejando de tanta vergonha, beijou minha bochecha e disse baixinho:

— Acidentes acontecem, Sun. Deixe pra lá.

Então agora decidi que vou deixar pra lá esse... acidente.

— Tá bom, então acho que está tudo bem entre a gente. Nos vemos daqui a pouco, né?

— Eu posso te encontrar na estação. Vai descer em Camden ou Chalk Farm?

Estou prestes a dizer a Mark que só um turista desceria na estação Camden Town numa noite de sábado, mas ele diz:

— Espere um segundo.

Escuto alguém gritando com ele no fundo. Acho que pode ser uma garota, mas não quer dizer necessariamente que é *aquela* garota.

— Linda, preciso ir. Me mande uma mensagem. Nos vemos daqui a pouco. Amo você.

Então ele desliga, e não estou mais com raiva. Sério, realmente não estou com raiva. Eu me sinto mais como uma garrafa de Coca que foi chacoalhada. Meu gás borbulhou um pouco, mas agora estou sem nenhum. Percorro o curto caminho até Clapham North para poder entrar no metrô. Minha querida linha norte. Nunca mais vou falar mal dela. Não depois do percurso que precisei fazer para chegar até aqui.

Porém, quando chego na estação, as grades estão sendo puxadas para a frente da entrada do metrô e trancadas. Então vejo um aviso falando de obras de engenharia que estavam marcadas; aparentemente é impossível pegar um metrô do sul para o norte de uma importante cidade global no fim de semana do feriado bancário de agosto. Parece mais que estamos na maldita Idade Média ou algo do tipo.

E a situação ainda piora. Porque no aviso estão escritas as três piores palavras da língua inglesa, que são repetidas pelo homem carrancudo com uniforme do sistema de transportes londrino, que está respondendo às perguntas dos passageiros. São as piores palavras de todas.

ÔNIBUS DE SUBSTITUIÇÃO AO TREM

Não! Não! Não! NÃO!!!!

Deus, por que se esqueceu de mim?

Na mesma hora, o ônibus se aproxima. Tem um monte de pessoas tristes observando, pelas janelas, e outras ainda mais tristes enfileiradas para subir no ônibus.

Esse será meu destino? Passar *horas* da minha vida indo de Clapham, bem no sul de Londres, até Camden, no norte, num ônibus de substituição do trem que para em todas as estações de metrô do caminho? Vou ter sorte se chegar em Camden a tempo do café da manhã. Nem posso pegar táxi. Jamais teria dinheiro suficiente para o longo percurso.

Olho ao redor, procurando inspiração divina. Ou algum aparelho de teletransporte.

Já estive em Clapham uma vez, com meu padrasto Terry e meu meio-irmão (mas pentelho-em-tempo-integral), Dan, para fazer um orçamento da desocupação de uma casa. A casa pertencia a uma senhora que tinha morado lá a vida inteira e que agora precisava empacotar tudo e se mudar para um quarto num asilo. Terry achou que o lugar não era redecorado desde a década de 1940. Era como se estivéssemos num museu, mas podendo tocar nas coisas, apesar de a gente não querer porque era a casa de uma pessoa. Onde sua vida inteira havia acontecido.

A Sra. Sayer estava sentada numa das suas cadeiras de veludo verde, contorcendo as mãos pálidas, venosas e com sardas.

— Não sei o que fazer. O que levar — disse ela. — Como escolher as coisas que são mais importantes para mim? — Então seus ombros finos e ossudos se encurvaram. — E será que são mesmo importantes? São só coisas.

Terry disse que ia fazer um chá, e pediu para eu ficar com ela. Cada minuto constrangedor era marcado pelo tique-taque do relógio velho e engraçado que ficava em cima da cornija da lareira. Nunca sei o que devo dizer, e fiquei observando a sala de estar; as fotos em sépia de casamentos, de bebês e de um homem de farda. Um frágil vaso azul, com a luz do sol atravessando o vidro delicado. Um cata-vento de porcelana em que se lia "Um presente de Margate" pintado.

— Eu levaria as coisas que me trazem alegria quando olho para elas — terminei dizendo. — As que a fazem pensar em todas as coisas boas que aconteceram.

Ela olhou para mim como se não soubesse exatamente o que eu fazia no seu sofá. Depois sorriu.

— Parece uma ideia excelente.

Terry tinha entrado no apartamento para pegar algumas malas para ela e depois passou o orçamento para a desocupação da casa, o que fez minha mãe gritar com ele quando chegamos em casa, pois ela disse que eles declarariam falência em, no máximo, um ano se ele continuasse dando orçamentos tão próximos do preço de revenda.

Depois que deixamos a Sra. Sayer, fomos a um restaurante barato onde comemos bacon, salsicha, feijão e batatas, e depois voltamos de carro para Crouch End, mastigando balas de menta extrafortes para que minha mãe não sentisse o cheiro de animais mortos em nosso hálito.

Era isso que Clapham significava para mim. Agora, do ponto de ônibus solitário fora da estação Clapham North, vejo um escritório de advocacia, um salão de beleza, algumas lojas de conveniência e uma igreja. Na esquina há um pub pintado de amarelo cor de prímula, com pessoas ocupando todo o pátio e parte da rua, fumando e bebendo e conversando. Eu poderia estar em qualquer lugar de Londres, mas não é a minha Londres, a Londres para a qual preciso voltar desesperadamente.

Porém, os planos de Deus para mim incluem o ônibus de substituição do trem que aparentemente passa a cada cinco minutos, pois tem outro se aproximando de mim.

De repente, escuto o barulho de uma buzina. Duas vezes. Depois escuto uma cacofonia de buzinas incessantes e, quando olho o outro lado da parada de ônibus, vejo dois garotos em lambretas parando no acostamento. Dois garotos de ternos elegantes de modelagem

45

superjusta, e aposto que eles teriam cabelos bem volumosos se não estivessem escondidos embaixo dos capacetes. Ainda estão de óculos escuros, e as lambretas têm um nome italiano que sempre me faz pensar em chocolate. Vespas. Eles estão em lambretas Vespa. Assim como Audrey Hepburn e Gregory Peck em *A Princesa e o Plebeu* ou todos aqueles jovens indo para Brighton lutar contra os roqueiros em *Quadrophenia*, que Terry sempre nos obriga a ver quando é sua vez de escolher o filme.

São os franceses. Os Godards. Não sei o que estão fazendo em Clapham nem por que estão buzinando como se fosse um hobby nacional, mas é o que estão fazendo.

E daí? Não é problema meu.

Entro na fila de pessoas para subir no ônibus.

— Sunshine! Ei! Sunshine! Venha aqui!

Apenas uma pessoa me chama de Sunshine, apesar de ser o nome em minha certidão de nascimento, e é minha mãe. Ela só me chama assim quando estou extremamente encrencada. Porém, um dos Godards (como alguém diferencia um do outro?) tirou o capacete e está me chamando pelo nome e acenando para mim.

Eu me aproximo mesmo a contragosto. Não sei o que os dois franceses misteriosos querem comigo.

— Oi — cumprimento, quando estou a uma distância de onde eles conseguem me escutar. — E aí?

— Ah, ia dizer a mesma coisa pra você — comenta o Godard não identificado. Ele não tem nenhum sotaque francês. Fala como se tivesse nascido e crescido no norte de Londres igual a mim. O outro Godard nem tirou o capacete e continua sentado na lambreta, como se estivesse louco para voltar para o tráfego. — Suas amigas lembraram que a linha norte estava fechada, mas você já tinha ido embora e não atendeu o celular.

Olho o celular. Tem tantas mensagens não lidas, mensagens de caixa postal e ligações perdidas que parece que o celular é de alguém muito popular.

— Eles estão usando ônibus de substituição dos trens.

— Que chato — murmura ele, esse garoto cujo nome eu não sei e que talvez nem seja francês. — Eu já andei nesse ônibus uma vez. Uma pessoa vomitou nos meus sapatos. Foi bem traumático.

Fico encarando os pés dele. Suas pernas magras terminam num par de botas pretas de bico fino. Então olho para cima, pois ele está estendendo a mão como se quisesse que eu a apertasse.

— A gente não se conhece, eu sei, mas sua mãe, *la belle Hélène*, fala de você o tempo inteiro. Meu nome é Vic.

— Sunny. Todo mundo me chama de Sunny.

Apertamos as mãos. Ele tem um aperto de mão firme e por um segundo parece que está segurando minha mão, o que é gostoso, mas talvez eu ainda esteja tomada pela tristeza e ache bom segurar um pouco a mão de alguém.

Quando Vic solta minha mão, lamento um pouco. Então ele sacode a cabeça e diz algo em francês para seu possível gêmeo, ou talvez seu sósia e namorado. Entendo a palavra *"allez"*. E também distingo a palavra "babaca" no meio da enxurrada de francês que não entendo porque escolhi o espanhol como língua para minha qualificação acadêmica do ensino médio.

Então o outro sai da lambreta e se aproxima de mim. Quero me afastar porque Vic está de camisa branca e parece tranquilo e simpático, mas o outro garoto está de camisa preta, o que combina exatamente com sua expressão sombria.

— Sunny, este é Jean-Luc. Ele vai fingir que não entende uma palavra de inglês. Também vai fingir ser o maior babaca. Nada disso é verdade. O nível de babaquice dele é apenas normal.

Apesar de ele estar de óculos escuros, tenho certeza de que Jean-Luc está revirando os olhos. Estendo a mão, mas ele a ignora e diz simplesmente *"enchanté"*, como se não estivesse nada *enchanté*.

Em circunstâncias normais, eu estaria gaguejando e corando, como faço quando tem algum gatinho perto de mim e eu tento agir normalmente, mas estamos em circunstâncias extraordinárias. Meu coração não está tão inteiro, e Mark é a única pessoa que pode completá-lo novamente, então fico parada, cruzo os braços e decido que não estou com cabeça para lidar com os franceses emburrados aquela noite.

— Foi uma gentileza vocês terem vindo atrás de mim para me avisar sobre a linha norte. Obrigada — murmuro. — Vou voltar pelo trem de superfície ou pegar o ônibus ou algo do tipo.

Assim que falo isso, chega mais um ônibus de substituição do metrô. Se é que é possível, as pessoas lá dentro parecem ainda mais tristes que as que estavam nos dois primeiros. Como se ele não estivesse parando em todas as estações da linha norte, e sim indo direto para as profundezas do inferno.

Vic e Jean-Luc continuam parados. Com os capacetes e os óculos escuros e a possibilidade de serem franceses, eu me pergunto se nunca cogitaram formar uma banda tributo ao Daft Punk. Sinto uma risada se formando e preciso me virar.

— Obrigada mais uma vez.

Aceno fracamente e ia me juntar à fila relutante que aguarda para entrar no ônibus, mas agora os Godards estão bloqueando meu caminho.

— Está indo para o norte de Londres? — pergunta Vic.

— Sim, Camden. Bem, Chalk Farm, mas...

— Vai demorar horas para chegar lá, e talvez alguém até vomite nos seus sapatos ou algo pior! — Vic estremece de maneira teatral. Em seguida, tira o capacete. Imediatamente passa a mão no cabelo, puxando-o para que volte ao volume de antes. Só depois ele continua: — Não dá para aguentar.

Não sei se ele está falando do transporte ou do cabelo, mas Jean-Luc faz que sim e segura meu braço. Ele tem dedos impossivelmente longos. Claro que tem.

— E você está sofrendo de, hum, decepção amorosa.

— Sofrendo de...? Ah, meu Deus, todo mundo sabe que meu namorado... que ele... me decepcionou amorosamente? Enfim, não foi o que ele fez. A gente se entendeu. Foi apenas um equívoco. Estou indo encontrá-lo agora.

Os dois ficam parados e compartilham um olhar cúmplice, como se estivessem acostumados às ilusões de moças que foram decepcionadas amorosamente. Então Vic se vira para me observar — dos pés à cabeça —, e depois faz que sim decididamente; pareço ter sido aprovada na inspeção.

— A gente sabe tudo sobre seu namorado — diz ele, com um sorriso irônico.

Coloco as mãos nos quadris.

— Ah, é? — Normalmente não sou tão contestadora. Não sei por que estou assim, mas o sorriso dele é de *enfurecer*. — Como?

— Sua mãe — responde Vic, e sinto um aperto no coração. — Na verdade, eu ia falar com você no piquenique porque a reconheci da foto que *la belle Hélène* tem na mesa da loja...

— E ela sempre mostra outras fotos suas no celular, e também de seu *petit frère*, Daniel, e até do *chat* com nome ridículo — acrescenta Jean-Luc.

Precisei interrompê-lo na hora

— Gretchen Weiner não é um nome ridículo para uma gata! Ela tem o pelo bem armado, como se escondesse todos os segredos ali dentro, e, às vezes, quando a gente está tentando tirá-la da poltrona, lança um olhar meio que diz "você não pode sentar com a gente", o que acho que não significa nada para alguém que nunca viu *Meninas Malvadas*.

Está claro que nenhum dos dois nunca viu a obra-prima cinematográfica, pois Jean-Luc balança a cabeça e faz um ruído baixinho de zombaria. Espero que ele esteja suado e abafado embaixo do capacete, e que passe mal de tanto calor depois de ter desrespeitado minha gata.

— Ah, minha Sunshine, seria tão bonita se sorrisse mais — diz ele, com uma voz estranha e aguda. — E agora está namorando um rapaz que anda por aí com a cueca aparecendo, e o rosto dele não é nada confiável. Estou preocupada com ela.

— Aposto que minha mãe não fala nada assim.

Mas eu sei que ela fala. Consigo *escutá*-la falando isso. Ela também gosta de dizer que devia ter escolhido o nome Tempestade em vez de Sunshine para mim. Mas contar isso aos Godards, que eu nem conheço... anoto mentalmente que devo matá-la quando ela voltar do acampamento.

— Ela se preocupa com você — argumenta Vic. — Como qualquer boa *maman*. E por isso que a gente deve ajudá-la a chegar em casa em segurança.

— Mas eu não vou pra casa.

— Sua amiga Emmeline disse que você ia — acrescenta Jean-Luc. Ele certamente está fazendo o papel do tira mau. — falou que seu namorado era *un cochon total* e que você precisava ficar na fossa e tomar sorvete.

Anoto mentalmente que também preciso matar Emmeline.

— Ela se enganou. Não vou para casa e não estou mesmo na fossa. — Não pareço muito convincente em voz alta, e, por alguma razão, só de pensar em Emmeline absolutamente determinada a não dar o benefício da dúvida a Mark meus olhos ardem, como se ainda mais lágrimas estivessem apertando meus canais lacrimais, parecendo café pingando por um filtro. Engulo em seco e tento novamente. — Mark e eu estamos bem. Muito bem. Ele não costuma sair por aí beijando outras garotas. A garota da foto estava beijando *Mark*, e ele participou daquilo a contragosto. Muito a contragosto.

Não estou de óculos escuros porque o sol foi quase todo embora e também porque não sou uma pessoa afetada, então talvez eles estejam vendo a única lágrima que se prendeu aos meus cílios e que escorre tão lentamente pela bochecha.

Nenhum de nós diz nada. Estou morrendo de medo de abrir a boca, pois posso terminar fazendo algo idiota, como soluçar de choro.

Jean-Luc é o primeiro a se virar, mas ele está apenas abrindo uma coisa parecida com um cesto na parte de trás da lambreta. Ele tira um capacete, que fita, inseguro, e depois olha meu cabelo.

50

— Talvez você precise, hum, espremer o cabelo para caber, *non*? — Ele empurra o capacete para mim. — Vamos! *Allez!*

— Vai me dar uma carona até Camden em cima disso?

— Bem mais rápido que o ônibus — acrescenta Vic. — Não precisa ir com ele. Eu dou uma carona pra você. *La belle Hélène* sabe que você está em boas mãos comigo.

La belle Hélène daria 99 chiliques só de saber que estou considerando atravessar Londres a toda velocidade em cima de um veículo motorizado de duas rodas — mesmo se um de seus queridos franceses estiver guiando. Na verdade, acho até que ela preferiria que eu engravidasse, assassinasse alguém ou fosse reprovada na qualificação do ensino médio do que eu subisse numa dessas lambretas, especialmente porque é provável que um deles vire em alguma esquina em alta velocidade, ou seja cortado por um caminhão, e os serviços de emergência vão ter de recolher os pedaços do meu corpo que se espalharão pela rua.

— Não, não tem problema. Posso pegar o ônibus — digo, enquanto *outro* ônibus de substituição do metrô chega. — Mas obrigada. Vou dizer pra minha mãe que vocês mandaram um oi.

Empurro o capacete de volta para Jean-Luc — com alguma força, pois ele responde com um "ooof" sofrido, e depois vou correndo até o ponto de ônibus e pergunto ao motorista quanto tempo demora para chegar em Camden.

— Não sei — diz ele prestativamente. — Não faço ideia. Demorei duas horas da última vez.

Vic e Jean-Luc ainda estão aqui. Volto até eles. Jean-Luc me entrega o capacete.

— Não estou vestida para andar de lambreta — explico. — Não quero que os paramédicos precisem tirar pedaços de asfalto das minhas pernas.

Nós três encaramos minhas pernas. Não estou vestindo um short que expõe até a bunda, como outras pessoas que conheço. Minha bunda não está aparecendo nem um pouco. Meu short cobre a área

51

carnuda e irritante da parte interna de minha coxa. Ele tem dobras, é respeitável e adequado para o clima, mas agora faço um movimento estranho, constrangedor e vergonhoso, girando uma perna para perto da outra até quase cair. *Parem de encarar*, queria dizer, mas fico calada. Em vez disso, preciso aceitar a verdade desagradável da situação: minhas opções são bem limitadas se eu quiser chegar a Camden antes do Natal. É assim e pronto. Preciso fazer o impensável e decidir bem aqui, bem agora; acabou a indecisão.

Talvez só um pouco de indecisão.

— Qual de vocês dirige melhor? Tipo, se tivesse alguém apontando uma arma para suas cabeças, quem escolheriam?

— *C'est moi!*

— Eu, claro.

— Tem uma arma na cabeça de vocês!

Jean-Luc ergue a mão.

— *Un moment!*

Os dois conversam baixinho e intensamente em francês.

Então começam a falar mais alto. Eles se aproximam, estufando o peito, como dois pombos empertigados. Estão dizendo coisas em francês como *"zut alors!"* e *"mon dieu!"* e até *"incroyable!"*, que eu jurava que os franceses não diziam na vida real.

Tiro a garrafa de água da bolsa. Está morna e concluo que tenho tempo de comprar outra nas lojas do outro lado da rua. Porém, escuto um *"tant pis!"* triunfante e parece que Jean-Luc e Vic pararam de se empurrar e de falar gracinhas em francês, e Jean-Luc se declarou o vencedor.

Vic bufa com desgosto.

— Pelo menos, não dirijo como uma velhinha — diz ele, desdenhoso.

Ele certamente é o mais gentil dos dois, mas também tem uma certa inquietude que é irritante. Ele não está encurvado como Jean-Luc, e sim se movimentando, estalando os dedos para que eu me mexa enquanto ele sobe na lambreta. E enquanto subo na lambreta de Jean-Luc, com meu coração em disparada, como se eu estivesse esperando a montanha-russa sair do lugar, Vic vai embora com o motor roncando. Imediatamente, ele começa a cortar caminho na frente de mais um ônibus de substituição do metrô e, depois, se lança no meio dos carros parados no semáforo, e estou achando muito melhor ir com Jean-Luc, pois ele realmente dirige como uma velhinha.

COISAS QUE MINHA MÃE RECOMENDOU FORTEMENTE QUE EU NÃO FIZESSE

1. Subir na moto de alguém. Nunca. Nem se eu estiver de capacete e luvas, e a pessoa prometer que não vai passar de 30 quilômetros por hora.
2. Colocar algo na vagina que eu não colocaria na boca. O assunto surgiu quando eu estava ajudando a fazer uma receita tailandesa com curry. Minha mãe adora começar papos de mãe e filha sobre sexo enquanto cozinhamos. "Então posso colocar alho, pimenta ou gengibre lá dentro? Se dá no mesmo, prefiro não fazer isso". "Isso aí. Joinha." "E por falar em joinha, dá pra botar o polegar também, não é? Mas por quê... Por que alguém ia querer..." "Ah, é só usar o bom senso, Sunny!"
3. O que leva a: engravidar antes dos 30 anos/antes de eu estar num relacionamento estável/antes que eu seja capaz de me sustentar (os três ao mesmo tempo).
4. Comer queijo depois das oito da noite. Aparentemente, fazer isso dá pesadelos.
5. Sair sem chapéu quando está frio lá fora. "Não me importo se isso estraga seu cabelo — todo mundo sabe que a pessoa perde 70% do calor do corpo pela cabeça".
6. Me apegar emocionalmente a alguma namorada de meu pai, pois nenhuma delas dura muito tempo.

7. Informar ao Juizado de Menores ou ao Ministério do Trabalho e da Previdência que ela só me dá 15% de comissão sobre as cômodas, baús, estantes e, uma vez, um armário gigantesco, que eu lixo, pinto, envelheço ou envernizo, fazendo melhorias em geral, para que ela revenda com uma enorme margem de lucro. "Não é menos que o salário mínimo, Sunny. Não se levar em conta que eu dei comida, casa e várias outras coisas pra você nos últimos 17 anos."
8. Colocar aplique no cabelo. (Nisso ela tinha razão.)
9. Achar que Alimentação e Nutrição seriam uma qualificação fácil do ensino médio. (Ela também tinha razão.)
10. Ver O *Exorcista*, apesar de Dan, que tem seis anos a menos que eu, dizer que não é *tão* assustador. (Ela também tinha razão — tive pesadelos por semanas.)
11. Sair com M...

Mas, sério, o que minha mãe sabe das coisas?

21h55

CAMDEN

Camden Town, cujo nome é uma homenagem a Charles Pratt, Primeiro Conde de Camden, tornou-se um local importante, mas fora de moda e cheio de pessoas indesejáveis e fracassadas, depois que o Regent's Canal foi construído em 1816, cruzando a região.

Os famosos mercados de Camden começaram em 1973 e são uma parada essencial para quem quiser DVDs piratas de shows, camisetas com slogans nada engraçados ou roupas steampunk.

Lar da cena Britpop dos anos 1990, muitas celebridades moraram nas sagradas ruas de Camden, de Charles Dickens ao poeta Dylan Thomas, além de Noel Gallagher, Gwyneth Paltrow e aquele cara do Coldplay, e a falecida Amy Winehouse.

Estar em cima da lambreta, mesmo se ela estiver sendo dirigida com muito cuidado, dá medo de todo jeito. Talvez seja a coisa que mais me apavorou em toda a vida.

Solto um gritinho toda vez que Jean-Luc freia ou vira uma esquina, e meus braços apertam sua cintura com tanta força que ele grunhe. Normalmente, eu morreria de vergonha se estivesse me pressionando tanto num garoto que conheci dez minutos antes (ou até mesmo num garoto que eu conhecesse há mais tempo), mas a vergonha não chega nem perto do quanto me sinto pequena e vulnerável, como se tivesse um alvo nas costas. Se um carro ou caminhão chegar perto demais, o vento causado pelo movimento poderia nos derrubar no meio do tráfego do outro lado da rua, e seríamos esmagados, como bonecos de papel. De forma bem mais nojenta e com sangue.

Mas depois de uns cinco minutos, deixo de sentir tanto medo e começo a achar empolgante. A noite quente e úmida deu lugar a uma brisa que roça minhas pernas e faz minha camiseta listrada ondular. A rajada quente dos canos de escape parece quase tropical, e passamos um tempo do lado de um entregador de pizzas na própria lambreta. Ele sorri como se sentisse afinidade por mim, já que também estou sobre duas rodas, e faz um sinal de positivo antes de ir embora.

A melhor parte é quando atravessamos o Tâmisa pela Waterloo Bridge. Não só porque ir do sul para o norte faz com que eu sinta que cheguei em casa, mas porque ver a cidade iluminada contra o céu escuro, o velho e o novo luminoso, aconchegados um ao outro, sempre mexe com meu coração.

Parece que tem mais uma coisa mexendo comigo também. Estava tão preocupada com a possibilidade de ser mutilada num acidente de trânsito que nem pensei muito em Jean-Luc, somente em me agarrar nele para salvar a própria vida. Literalmente. Não metaforicamente.

Porém, agora que andar de lambreta por Londres se tornou minha coisa favorita, começo a pensar. Enquanto penso, percebo que minhas pernas estão agarrando os quadris e as coxas de Jean-Luc, meus braços estão ao redor de sua cintura, e, enquanto imito o movimento da lambreta, eu me inclino para perto dele com o rosto pressionado em suas costas.

Ele tem um cheiro incrível. É doce, parece um bolo que acabou de sair do forno, mas também cítrico como limão. Também tem uma nota de base sintética, de algum perfume, que não consigo identificar.

Às vezes, quando paramos nos semáforos, Jean-Luc se vira e diz:

— Ça va?

O fato de que não estou mais berrando nem agarrando-o com a maior força é sinal de que estou totalmente ça va, mas toda vez que ele pergunta, eu grito:

— Estou bem!

Chegamos em Camden depois de 23 minutos. Toma essa, ônibus de substituição do metrô! Atravessamos Regent's Park, e estico o pescoço para ver se consigo enxergar alguma girafa quando passamos pelo Zoológico de Londres, mas elas devem estar dormindo. Então alcançamos Vic, que está nos esperando no fim da Parkway.

Agora o trânsito está pior. Subimos por Camden High Street e desaceleramos.quando garotas bêbadas de saias minúsculas e saltos vão para a rua cambaleantes. Rapazes com cervejas gritam com a gente — um deles estende a mão para agarrar meu braço. Jean-Luc desvia em uma grande guinada, grita em francês e tira a mão do guidão para gesticular com agitação.

— Está tudo bem. Estou bem. Olhe para a rua!

Quando chegamos à pequena ponte sobre o canal, quase não tem mais rua. The Lock Tavern está a uns cem metros, à direita.

Vic dobra na Harmond Street, nós o seguimos, paramos no meio-fio, e Jean-Luc desliga o motor, algo que eu não queria que fizesse. Queria que a gente simplesmente continuasse até que acabassem as ruas. Ir até Brighton. Até Whitstable. Até o litoral. Sentar na praia e ficar olhando o contorno escuro da água, deixar a brisa do mar se aproximar e bagunçar o cabelo, sentir o gosto de sal ao lamber os lábios.

Mas seria burrice fazer isso quando Mark está sentado a alguns metros de distância e me esperando.

Tiro o capacete e solto o cabelo do elástico com que o prendi. Estava muito quente embaixo dele. Inclino a cabeça para baixo e passo os dedos nos fios, mas as mechas não voltam às vastas dimensões anteriores.

— Quer um pouco?

Vic e Jean-Luc também tiraram os capacetes, e os dois pegam nos cestos um frasco dourado familiar. É o cheiro que eu não estava conseguindo identificar. Spray de cabelo da marca Elnett. Minha avó se encharca disso, minha mãe ama usar quando está prendendo o cabelo fino e loiro num penteado colmeia, e eu nunca recusaria um produto que aumente ainda mais meu afro.

Passo o spray nas mãos, mergulho-as no cabelo e espalho. Vic e Jean-Luc também se arrumam, puxando as mechas amassadas por causa do capacete até o cabelo ficar na vertical novamente.

— Seu cabelo... — diz Vic, olhando para mim pensativamente. — É tão... *grande*. É natural?

Faço que sim e fico esperando ele estragar tudo perguntando se pode tocar no meu cabelo. As pessoas pedem isso o tempo inteiro. É a maior grosseria. Como se eu fosse um cachorro que quer carinho na cabeça.

Mas Vic não faz isso, e Jean-Luc se agacha para ver o reflexo no retrovisor da lambreta, fazendo um bico. Os dois estão bem... nem sei o que eles estão. Estranhos. Únicos, apesar de serem dois.

Quando termino de reaplicar o rímel e o gloss, eles estão ajeitando as lapelas, ainda de óculos escuros.

— Então, vou ficar por aqui — digo. Não sei por que, mas parece que estou prestes a entrar pelada numa batalha. É Mark, e a gente se ama, e está tudo bem. — Muito obrigada pela carona. Eu ainda estaria em Clapham se tivesse pegado aquele ônibus.

— Não quer que a gente vá com você? — pergunta Vic. — Caso aconteça algum problema.

— Por que aconteceria algum problema? — Franzo a testa. — Já falei que foi um mal-entendido. É sério, vou ficar bem.

Olho na direção do pub. Como sempre, tem uma multidão aglomerada do lado de fora, apesar dos avisos de que a área é residencial e de que todos precisam calar a boca. Mark vai estar lá dentro, no terraço da cobertura onde a gente sempre fica. Será que ele está sozinho? Ou será que seus amigos de Chelsea, os babacas, ainda estão com ele?

Será que *aquela* garota ainda está lá? Em cima dele, com os beijos e a mão na bunda?

Cada pensamento é pior que o anterior. E, com o último pensamento, dou um passo para trás. E depois outro. E mais outro. Odeio conflitos.

Então posso apenas continuar recuando até chegar do outro lado da rua. Depois, posso pegar o ônibus, ir para casa e seguir o plano original. Não tenho mais muito motivo para chorar, acho que não, mas ainda posso tomar sorvete até meu cérebro congelar ou eu terminar vomitando.

— *Pourquoi t'es encore là, toi?* — pergunta Jean-Luc. Ele tirou os óculos escuros, os dois tiraram, pois agora está escuro e, na verdade, eles não são pretensiosos, apenas gostam de usar óculos escuros até o sol desaparecer completamente. Jean-Luc franze muito o rosto sem os óculos, mas pode ser o fato de ele estar franzindo o rosto para mim. Acho que algumas garotas gostam desse jeito misterioso e pensativo, mas eu não. — Vá lá! *Allez!*

— A gente já conversou sobre isso — lembra-o Vic, com cuidado. Ele se vira para mim. — Desculpe. Ele está em Londres faz só um ano. Vivo dizendo que ele não pode ser tão rude com as pessoas quanto era em Paris.

— Eu fui rude? — pergunta Jean-Luc para mim.

Ele parece estupefato com essa ideia.

— Bem, talvez um pouco — respondo, com uma expressão pesarosa. — Mas está tudo bem, não me importo.

— *Alors! C'est quoi, le problème?*

Vic põe a mão no ombro de Jean-Luc.

— Em inglês!

Jean-Luc dá de ombros de um jeito zangado para afastá-la.

— *Je ne veux pas parler anglais!*

— Você sabe falar inglês perfeitamente, só prefere não fazer isso.

— Tanto faz! Gostou agora?

Eu achava que eu e Dan discutíamos muito, especialmente porque ele é um pentelho irritante que precisa parar de se meter nas minhas coisas, mas com Vic e Jean-Luc é bem pior.

— Bem, tá certo, vou embora — digo, apesar de eles estarem ocupados demais se olhando raivosamente para prestar muita atenção em mim. — Então obrigada por tudo e, hum, a gente se vê por aí, eu acho.

— Mande um oi para *la belle Hélène*! — diz Vic.

Movo os dedos para mostrar que escutei, depois cabeça para cima, ombros retos e caminhada para a frente.

Abro caminho no meio da multidão da calçada para conseguir entrar no pub, depois ando de lado, como um siri, pelo bar. Encolhendo a barriga, me inclinando para trás, depois para a frente, caçando pequenos espaços que se abrem.

— Desculpe, desculpe, desculpe, licença, desculpe — murmuro como um mantra até chegar à escada.

Tem um engarrafamento na porta da cobertura, e eu demoro um bom tempo para conseguir me espremer, parecendo ketchup saindo de um frasco entupido. A cobertura está cheia de gente. Preciso fazer o mesmo movimento de siri até avistar um gorro vermelho a distância e ir direto até ele, como se fosse a nave-mãe.

Não é a nave-mãe, é Archie. Ele está com George e Alex (aquela--que-desvirginou-em-Glasto), Hassan e Martha. Aceno, George me vê e deve ter dito alguma coisa, pois todos se viram, e, assim que chego até eles, Martha põe os braços a meu redor.

— Você está bem, querida? — Ela me afasta para poder me olhar nos olhos. Não sei o que meus olhos estão dizendo a ela, mas Martha decide que estou precisando de outro abraço. — Não se preocupe. Vai ficar tudo bem.

— Por favor, Martha, a pulseira de seu relógio está me machucando. — Eu me contorço até ela me soltar. — Enfim, tudo *está* bem. Conversei com Mark. Está tudo bem. — Olho ao redor. — Cadê ele? Foi até o bar?

— Ele foi embora — avisa Alex. — Saiu há uns dez minutos com os amigos ricos'de Chelsea.

Isso não quer dizer que as coisas não estão bem. Eu disse a Mark que mandaria uma mensagem quando estivesse chegando ao norte de Londres, mas era impossível fazer isso em cima de uma lambreta.

— Ele deve ter me mandado uma mensagem. — Ponho a mão na bolsa e tateio, procurando meu volumoso celular. — Então, como são os amigos de Chelsea?

Alex revira os olhos.

— Ricos. Muito ricos. A palavra 'rico' nem é suficiente para eles, não acham?

Os outros concordam, emitindo alguns barulhos.

— Um deles estava com uma camisa polo com a gola erguida, dois se chamavam Giles, e nenhum deles sabia falar baixo. *Muito* ricos.

— Pois é, e uma das garotas não parava de falar sobre as férias em Cap Ferret. — Martha arregala os olhos. — Num iate.

— Ferret, isso não significa furão? Não me parece muito luxuoso. — Estou determinada e não vou me distrair. — Mark disse que eles eram uns babacas. E quem era a garota que...

— Todos aqueles malditos são resultados de casamentos consanguíneos. — George pisa com força com um dos pés, enojado. — E digo uma coisa, quando a revolução começar, eu vou levá-los pessoalmente até a forca.

— E não para o pelotão de fuzilamento? — pergunta Hassan, com um sorriso astucioso.

— Não! Ia ser um desperdício de balas, cara.

Não adianta prestar atenção em George. Ele passa o sábado inteiro na frente do mercado Waitrose, incomodando as pessoas para que elas comprem cópias do jornal *Trabalhador Socialista*. Eu o silenciei no Twitter porque ele não para de tuitar links de petições do Change.org para acabar com a escravidão global e protestar contra regimes militares em países de que nunca ouvi falar. Depois de um dia difícil no colégio, eu só quero clicar em links de fotos de gatos ranzinzas. Eu disse a Martha que achava uma pena não poder silenciar George quando ele está reclamando sobre privilégios na aula de sociologia.

Então claro que Martha contou para George, que contou para Emmeline que eu tenho a consciência política de um peixe-dourado, e eu disse a Emmeline que alguém devia abrir uma petição no Change.org para banir George do Change.org, e depois ele veio reclamar comigo sobre isso numa festa e eu precisei ir chorar no banheiro, mas que seja, já superei.

— Então, Mark explicou o que aconteceu com aquela garota — digo muito casualmente, como se não fosse nada grave, pois realmente não é nada grave, enquanto desbloqueio o celular e dou uma olhada em todas as mensagens não lidas. — Hum, Martha, você mandou aquelas fotos pra, tipo, todo mundo? Isso não foi nada legal.

Eu me encolho um pouco porque jamais havia dito algo tão agressivo para alguém que não fosse Emmeline ou minha família. Claro que Martha endireita a postura imediatamente e abre a boca, indignada.

— Meu Deus! — exclama ela baixinho. — Não mate a mensageira.

Recebi mensagens de amigos que ainda estão de férias, e uma de uma garota que só vi uma vez num show do Duckie, mas nenhuma de Mark. Mando uma mensagem rápida para ele ("estou no Lock. kd vc? bjs Sunny) enquanto explico a Martha e ao grupo:

— Escutem, ela beijou Mark. É isso que fazem em Chelsea. E a mão de Mark não devia estar na bunda da garota. Eu também terminei pegando em algumas bundas enquanto tentava abrir caminho no bar, e também teve aquela vez no ônibus quando eu escorreguei e caí no colo de Archie, não é? Às vezes, essas coisas acontecem!

Alex e Martha reviram os olhos ao mesmo tempo, e Alex murmura:

— Pois é, parecia mesmo que as bocas dos dois tinham se encontrado por acidente.

Archie concorda seriamente e diz:

— A gente conheceu um lado diferente de Mark hoje. Sinceramente, Sun, ele estava se comportando meio como um babaca.

Não sou essa garota. Não sou a garota que acredita cegamente em tudo que o namorado diz e faz porque não aguenta ficar sem namorado. Uma garota triste. Não sou ela de jeito algum. Passei minha vida quase inteira sem namorado, tirando os últimos nove, dez meses, e não tive nenhum problema com isso. Mas as provas contra Mark não são nada irrefutáveis.

— Todo mundo se comporta como um babaca de vez em quando — argumento.

Ninguém diz nada, todos ficam me olhando como se eu tivesse acabado de tirar toda a roupa e saído nua pela cobertura. É um olhar de "você é mesmo tão burra assim?".

Eu não sou *tão* burra assim. Mas talvez eu confie demais nas pessoas, talvez eu queira agradá-las demais, seja um pouco sensível demais, e é por isso que consigo sentir a raiva e a mágoa fazendo meus olhos arderem de novo, e me sinto agradecida quando George é o primeiro a acabar com o silêncio.

— Que constrangedor, não é? — comenta ele alto.

Archie estende o braço para pegar algo na cadeira atrás dele, e me entrega uma vassoura.

— Tome — diz ele orgulhosamente, como se estivesse me concedendo uma grande honra e não uma vassoura cinza de plástico com cerdas azuis. — Passei no Sainsbury quando vinha pra cá.

— Nossa, obrigada! Que aleatório.

— É porque incendiamos a sua na quinta à noite — lembra Archie. — Quando Mark e eu estávamos tentando girar o bastão flamejante. — Eis uma prova de que todo mundo, incluindo Archie, se comporta como um babaca de vez em quando. — Conseguiu tirar as marcas chamuscadas do barracão?

— Terminei precisando pintar tudo. Ainda preciso passar uma camada de verniz à prova d'água antes que minha mãe volte.

E remover todas as provas de que comemos carne e ingerimos bebidas alcoólicas, e limpar a casa do chão ao teto. O peso de minha lista de coisas a fazer é imenso. As noites de sábado deviam ser mais divertidas que isso, tenho certeza.

— Você está bem, Sun? Tirando o óbvio? — pergunta Hassan. — Quer uma bebida?

— Sim, mas não. É melhor eu ir atrás de Mark ou voltar para casa. Ainda não arrumei tudo do churrasco. — Eu me encolho de novo. — Desculpem ter desanimado vocês.

— Não, está tudo bem. — Alex acaricia meu braço. — Se eu acordar com o alarme amanhã, posso ir até sua casa para ajudar com a limpeza.

— Ah, não precisa fazer isso — digo automaticamente, mas seria ótimo se ela o fizesse. — Mas se realmente *acordar* com o alarme...

— Eu ligo pra você — diz ela.

Alex olha propositalmente para Archie, que murmura que talvez consiga passar lá em casa. Talvez. Depois Martha diz que também vai. Hassan diz que iria com certeza se não tivesse que ir à mesquita. É estranho como ele sempre precisa ir à mesquita quando alguém lhe pede para fazer algo que ele não quer fazer.

— Bem, eu não vou — diz George. — Não ajudo pessoas que me silenciam no Twitter.

Tanto faz. Ele precisa mesmo superar isso.

DEZ MINUTOS DEPOIS

Como se tivesse um sexto sentido para essas coisas, Mark me liga assim que consigo sair do The Lock Tavern.

Estou irritada por ele ter me dado um bolo, mas aliviada por ter me ligado, pois assim não preciso ter um enorme debate comigo mesma, me perguntando se não seria carência demais ligar depois que Mark não respondeu minha mensagem.

— *Cadê* você? — termino, dizendo com uma voz triste, choramingando.

— Não tem sol quando você não está aqui — canta Mark. Ele parece feliz em ter notícias minhas, choramingando ou não. — Ainda está no The Lock, Sun?

— Estou fora dele. — Por um instante, tenho a certeza de que todas as minhas suspeitas a respeito do beijo e da mão na bunda supostamente inocentes estão prestes a vir à tona. De que a dúvida e a mágoa que ainda estão à espreita se transformariam em palavras cruéis e perfurantes como dardos envenenados. Mas não. Pelo jeito, ainda não acabei de choramingar. — Por que foi embora sem mim?

— Ah, linda! *Linda!* — exclama ele. — Meus amigos estavam sendo uns idiotas e eu precisava tirá-los de lá. Estamos no The Edinboro Castle, mas agora eles querem muito ir para Shoreditch.

— Mas você não precisa ir com eles, precisa? — pergunto.

— Bem, não, claro que não. Quero dizer, mas não os acompanhar criaria um climão; não quero mesmo lidar com isso.

— Ah — digo. — Tá bom.

É frustrante o quanto acho impossível dizer o que estou pensando.

— Não fique assim, linda. Espere um pouco! — Ele diz algo para uma voz sem corpo ao fundo. — Escute, por que você não passa aqui e conhece o pessoal?

— Não sei. Aquela garota...

— É que um carro vai vir nos buscar em cinco minutos. Estamos na lista de convidados de uma boate, mas precisamos chegar lá antes das onze. Escute, linda, estou louco para ver você. Aposto que, se vier correndo, consegue alcançar a gente. Venha, Sunny! Corra como o vento. Nos vemos em cinco minutos!

Ele nem desligou ainda, e já estou correndo. É como se chegar no The Edinboro Castle antes do táxi de Mark fosse uma questão de vida ou morte. Jamais corri tão rápido na vida. Corro como se a sobrevivência do planeta dependesse de mim.

As calçadas estão tão cheias que corro no meio da rua, os braços cruzados sobre o peito para meus seios não pularem, agarrando a vassoura; a bolsa batendo no quadril.

Odeio correr.

Porém, isso esvazia minha mente e eu tenho um momento de, tipo, clareza. Não vejo carros correndo em minha direção nem pessoas desviando para não bater em mim; em vez disso, enxergo um padrão com muita clareza.

Mark diz pule, e eu pulo.

Mark diz corra, e eu corro.

Mark beijou outra garota. Ou foi beijado por ela — de todo jeito, sua prioridade devia ser consertar a situação, vir atrás de mim. Não o contrário.

Paro de correr. O que diabos estou fazendo?

— Ei, mana! Para onde está indo com tanta pressa? Quer uma carona?

Um riquixá parou do meu lado. O cara que o pedala, de cabeça raspada, bronzeado e tatuado, abre um grande sorriso.

Aceitar carona de um desconhecido com tatuagens é mais uma coisa que *la belle Hélène* certamente me proibiria de fazer, mas se *la belle Hélène* não souber, nada vai acontecer.

Tudo vai se resolver depois que eu encontrar Mark. Tem de se resolver. Salto no banco.

— Preciso chegar no The Edinboro Castle, tipo, cinco minutos atrás!

Ele olha para mim por cima do ombro. Sorri novamente.

— *Nila problemo!*

Jamais pensei muito em riquixás antes, tirando as vezes em que quase fui atropelada por um no centro. Daquelas vezes, não gostei muito deles. Achava que nunca na vida entraria em um, pois são apenas para turistas ou para o que Emmeline chama desdenhosamente de "a galera da ponte e do túnel", mas agora estou sentada em um deles.

... sentada e também me segurando desesperadamente num dos suportes da coberta de lona enquanto o motorista começa a pedalar a toda velocidade.

Ele atravessa Camden High Street e avança por Jamestown Road, e eu queria que ele prestasse atenção no caminho, mas está ocupado demais olhando para mim enquanto fala. O nome dele é Jason, e ele é da Austrália, de Brisbane. Ele chama a cidade de Brisneyland. Ele ia passar uma semana em Londres antes de encontrar alguns amigos em Amsterdã, mas ficou sem dinheiro.

— Tudo é tão caro aqui em Londres — diz ele. — Fui num lugar em Covent Garden. Cinco libras por uma caneca de cerveja! Enfim, qual seu nome? Por que está carregando uma vassoura?

— Sunnneeeeeeeeeeee! — Jason acelera para atravessar o sinal antes que fique vermelho, e, ao passarmos por um buraco, minha bunda sai do banco. Quando sento de novo, todos os ossos do meu corpo sentem o impacto. — Esquerda! Entre à esquerda aqui!

Jason vira à esquerda praticamente em uma roda só, iniciando uma cacofonia de motoristas que apertam as buzinas para nos avisar que somos um risco e que não devíamos estar nas ruas. Não me importo. Estou vendo The Edinboro Castle à direita. Mas não vejo Mark.

Jason faz uma curva proibida à direita e bloqueia o caminho de um táxi preto; o motorista freia abruptamente, coloca a cabeça fora da janela e grita:

— Está pedindo pra ser preso, cara! Você é um risco pra sociedade, é mesmo.

Paramos devagar fora do pub. Minhas pernas demoram um instante até pararem de tremer, e continuam meio fracas mesmo depois que já estou no chão.

— Quanto te devo? — pergunto a Jason.

Quanto custou para você pedalar algumas centenas de metros a uma velocidade absurda?

Jason balança a cabeça.

— Pode deixar. É por conta da casa.

— Ah, não, assim fico mal. Você está tentando juntar dinheiro para viajar até Amsterdã.

69

Abro a bolsa, apesar de saber que não estou com muito dinheiro.

— Pode deixar. Eu era escoteiro. Gosto de fazer uma boa ação por dia. Passar a generosidade adiante, sabe?

Jason apoia os cotovelos nos guidões. Ele é mesmo gatinho se você é o tipo de garota que gosta de surfistas.

Já eu sou o tipo de garota que só gosta de rapazes nada confiáveis.

Olho minha bolsa aberta e vejo as coisas enroladas em guardanapos.

— Tenho comida. — Desdobro os guardanapos. — Os bolinhos de fruta estão duros, e o resto, meio esmagado, mas precisa manter a energia para pedalar com tanta força.

Vejo Jason pedalar para longe, erguendo a mão para se despedir, e pego o celular.

Eu poderia entrar no The Edinboro Castle e abrir caminho no meio de mais uma multidão grudenta que não quer me deixar passar, mas pela primeira vez na noite eu tenho certeza de alguma coisa: Mark não está aqui. Ele já foi embora. Caso contrário, estaria me esperando ali fora.

Meu Deus! Será que foi sua maneira de me dar um pé na bunda sem se dar ao trabalho de realmente me dar um pé na bunda?

Por que ele faria isso? Ele disse que me amava. E só Deus sabe o quanto eu o amo. Algumas horas atrás, ele ia ser o cara com quem eu perderia a virgindade, e eu não vou desistir tão facilmente.

Meu telefone faz um barulho. Mensagem nova.

Linda! Pena que não nos encontramos. Kd vc? Venha para Shoreditch. bjs M

Onde em Shoreditch?

Linda! Kd o carinho?

Vc n me esperou então nada de carinho. Onde em Shoreditch?

70

Quando aperto enviar, alguém grita:

— Sunny!

Mark voltou para mim! Meu coração acelera alegremente, mesmo se o resto de meu corpo tem suas dúvidas e suspeitas. Sim, meu coração acha que seria maravilhoso ver Mark, mas, quando me viro, não vejo Mark. É um garoto de terno elegante numa lambreta, parando no meio-fio, e atrás dele tem outro garoto de lambreta.

Jean-Luc me lança um olhar zangado e depois começa a disparar palavras em francês. Não entendo todas as pequenas palavras, mas entendo um *"imbécile"* e *"une fille stupide"*.

— Não sou imbecil nem uma garota estúpida — digo. — Você... *você* que é estúpido.

Jean-Luc bufa.

— *Je vais tout dire à ta maman...*

— Vai dizer o que pra minha mãe?

— Sunny! A gente viu você dentro daquele frágil riquixá, virando uma esquina numa roda só. O que estava pensando? — Vic põe a mão no peito, como se a lembrança ainda causasse muito sofrimento. — Tentamos alcançar vocês, mas nenhum de nós queria fazer uma bandalha então demoramos na rua de mão única.

— Tenho certeza de que não era uma bandalha. Eu precisava chegar bem rápido porque Mark estava aqui e ia embora.

Jean-Luc bufa mais uma vez.

— Precisava, é? — Ele passa o dedo na frente da garganta e sussurra. — Você terminou com ele, *non?*

— *Non!* Ele já tinha ido embora. Não que eu estivesse planejando terminar com ele. Mas eu bem que pensei... é tudo muito, muito complicado.

A dúvida e a incerteza voltaram assim como um medo frio e gélido que me faz estremecer, sentindo um gosto de ferrugem no fundo da garganta. Mas, se eu encontrasse Mark, tudo ficaria bem. Ele reviraria um pouco os olhos porque eu estaria sendo muito grudenta, mas depois ele seguraria minha mão e diria: "Linda, que bom que está aqui".

71

Bem, talvez ele não dissesse exatamente isso, mas ele diria algo parecido que me acalmaria. Ou talvez não. Talvez a pior coisa do mundo acontecesse e ele terminasse comigo por razões que nem consigo começar a entender, mas, pelo menos, assim eu saberia. Pelo menos *assim* eu poderia ir para casa, chorar e sentir raiva, ficar na cama e me tornar uma sombra de quem eu era, e não ficar nessa expectativa terrível.

Como explicar isso aos Godards, que ainda estão me olhando como se fossem me dedurar para *la belle Hélène*?

— Escutem, eu fiz o que precisava fazer. Qualquer pessoa apaixonada teria feito o mesmo — acrescento, e depois me arrependo pois pareceu muito ridículo. — O que importa é que Mark está a caminho de Shoreditch e é para lá que preciso ir.

— Mas, Sunny, isso não é motivo para você deixar aquele maluco no riquixá arriscar sua vida — protesta Vic. — Além disso, onde conseguiu essa vassoura e... ei! O que está fazendo?

O que eu estava fazendo era pegando o capacete extra.

— Você também dirige como um maluco! — Olho o telefone. São 22:43. Consegue me levar até Shoreditch antes das onze?

— Não, não consegue — diz Jean-Luc com firmeza.

— Você vai ver que consigo!

— Mas você não vai fazer isso!

Vic me ajuda a subir na lambreta e segura meu braço, os dedos demorando mais que o necessário, pois não quero saber de garotos e estamos com pressa.

— Você não manda em mim — diz ele para Jean-Luc.

— Nem em mim — acrescento.

Depois de hoje, não vou ser escrava de ninguém, juro, enquanto Jean-Luc murmura algo em francês, suspira e também liga o motor. Depois de hoje, somente eu mando em mim, mas primeiro preciso garantir que Mark e eu estamos bem.

— É melhor se segurar — me avisa Vic. — Não vou ter pena de ninguém.

O QUE DIABOS ESTOU FAZENDO NA MINHA NOITE DE SÁBADO?

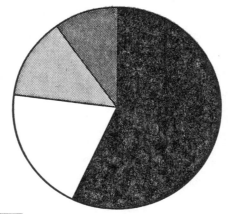

57% Procurando Mark

20% Arriscando meu pescoço numa lambreta dirigida por franceses desconhecidos

13% Me preocupando com meu short subindo e mostrando as coxas

10% Administração de vassoura

22h57

SHOREDITCH

A paróquia de Shoreditch, no East End de Londres, existe desde antes da Idade Média e era conhecida como Soers Ditch ou Sewer Ditch, "Fosso do Esgoto", pois era praticamente um pântano pretensioso.

O primeiro teatro da Inglaterra, The Theatre, foi construído em Shoreditch em 1576, mas os seríssimos governantes não aprovaram o comportamento duvidoso do pessoal do teatro nem as tavernas, salões de jogos e bordéis que tumultuavam as ruas estreitas.

No século XVII, a área foi ocupada principalmente por tecelões de seda franceses, mas na época vitoriana o pessoal do teatro já havia voltado para lá.

Atualmente, Shoreditch é cheio de pessoas midiáticas, artísticas e criativas que são midiáticas e artísticas e criativas em antigas fábricas e armazéns. Alguns moradores famosos são William Shakespeare, responsável por muitos chiliques relacionados à prova de qualificação de inglês do ensino médio, os cantores barulhentos Tracey Emin e Damien Hirst, e Barbara Windsor, moradora de Queen Vic, Walford.

Vou gritando até Shoreditch. Não de pavor. Não mais. É só a pura empolgação contagiante e de-parar-o-coração por estarmos indo tão rápido. Provavelmente não tão rápido, mas, quando a pessoa está em cima de uma lambreta, apenas você e a rua livre, parece ser rápido o suficiente para quebrar a barreira do som. Também é muito incrível.

É tarde da noite do sábado, do fim de semana de feriado bancário, então não tem muito trânsito. O que é ótimo para que Vic dispare por Euston Road e saia zunindo pelas minúsculas ruas laterais enquanto agarro sua cintura, como se fosse o último salva-vidas do *Titanic*, com a vassoura bem debaixo do braço.

Vic não se incomoda com a gritaria nem com o agarramento, nem com o fato de que a vassoura fica cutucando sua cabeça; ele solta uma gargalhada e joga a lambreta para um lado e para o outro, e eu grito ainda mais, o que só o faz rir mais ainda.

Quando ele para no meio-fio de Shoreditch High Street, nós dois estamos um pouco histéricos.

— Jean-Luc deve estar em Camden ainda. Ele não sabe o que é perigo.

Não conheço Jean-Luc o suficiente para comentar.

— Espero que ele realmente não conte pra minha mãe o que estou fazendo. Normalmente preciso estar em casa à meia-noite nos fins de semana.

— Ah, que é isso! Nada empolgante na vida acontece antes da meia-noite. — Vic vira a cabeça e sorri maliciosamente. Aquela dor no coração ainda está me incomodando, e Vic é tanta areia para meu caminhãozinho que parece que estou na praia. Porém, apesar disso tudo, ele é muito bonito e acho uma pena ele ter passado a maior parte da noite com o rosto coberto pelos óculos escuros, pelo capacete ou por ambos. — Para onde vamos agora?

Quem diria? Tem muitas boates em Shoreditch. Muitas pessoas descoladas se movendo; as garotas vestem macacões jeans curtos ou estranhos vestidos soltos, que parecem sacos, os rapazes também usam macacões jeans curtos com chapéus pork pie e barbas duvidosas. É todo um clima mais velho, mais estiloso, bem mais pretensioso que estou acostumada.

Pego o celular enquanto Jean-Luc aparece a distância, apertando a buzina uma vez.

— Meu Deus, ele vai estar zangado. Os ombros parecem zangados — diz Vic.

Não posso olhar para os ombros de Jean-Luc pois vejo que recebi uma mensagem de Mark.

Linda. No Shoreditch Working Men's Club. Entramos, mas fila gigante. Ligue qdo chegar aqui. Amo vc bjs

Ligo para Mark, mas cai direto na caixa postal, e desligo pois sei que, se eu deixar uma mensagem, vou apenas choramingar.

— Não consigo falar com Mark, mas deve estar sem sinal dentro do clube — digo, e mostro a Vic a mensagem de Mark. — O que faço agora? Jamais vamos conseguir entrar se a fila estiver muito grande.

— Não se preocupe. Consigo entrar em qualquer boate. Eu rio das filas gigantes. Faço "há há HÁ!", e eles tiram a corda e me deixam entrar — diz Vic pomposamente, enquanto Jean-Luc para ao nosso lado.

Isso não é tão tranquilizante quanto Vic acha.

— Você não está bêbado, está? Ou talvez tenha tomado muito remédio para febre, não?

— Não, ele sempre fala assim — explica Jean-Luc. Ele precisa espremer as palavras para fora da linha fina e rígida que costumava ser sua boca. — Tipo, como se diz em inglês? É o maior babaca.

— Você é muito cruel — rebate Vic, e eu me pergunto qual é a dos dois. De perto, eles não são idênticos como eu achava. Os dois têm cabelo revolto, escuro e pele pálida, mas os olhos de Vic são de um azul mais claro, e ele em geral pisca mais. Talvez porque sorri muito, enquanto os olhos de Jean-Luc têm o azul escuro dos uniformes escolares e mares tempestuosos, e ele não pisca nunca. Ele tem mais um olhar carrancudo. — Não sei o que fiz para merecer tanta crueldade.

Eles certamente são parentes.

— Vocês dois são irmãos?

É minha vez de ser fulminada com o olhar.

— Não! *Quelle horreur*! Primos — diz Jean-Luc brevemente. — Nem somos gays, apesar do que as pessoas falam. Mas sim, franceses. Ou, pelo menos, *eu* sou francês.

— Ei, também sou francês! — protesta Vic, enquanto liga a lambreta novamente.

— À piene! Você saiu da França quando tinha 8 anos. Você torce pelo Arsenal. Lá em casa, nós o chamamos de *le rosbif*! — revela Jean-Luc, sorrindo um sorriso parecido com o de Vic e indo embora.

— Vou transformá-lo em rosbife — resmunga Vic, enquanto sai com a lambreta.

Ao alcançar Jean-Luc, Vic mostra o dedo do meio, a lambreta dá uma guinada descontrolada, e eu preciso me enterrar nas costelas dele.

— Por favor, transforme seu primo em rosbife depois!

O Shoreditch Working Men's Club fica a dois minutos de distância, descendo um beco sujo, escondido entre uma casa de apostas e uma loja de kebabs. Acho que não deve ter muitos trabalhadores por aqui, se a fila que serpenteia por todo o beco e passa pela casa de apostas for alguma indicação. Porém, avisto duas garotas de macacão profissional e um rapaz com uniforme do McDonald's, mas acho que é só ironia.

Não entendo nada de ironia.

E Vic não entende nada de fila.

— Não temos tempo para isso. Namorados perdidos para encontrar e tal.

Ele agarra minha mão e nos leva até a frente, com Jean-Luc nos seguindo logo atrás e resmungando sobre os ingleses e sobre como adoramos fazer filas.

Eu teria achado muito melhor ficar na fila que empurrar e fazer todo mundo nos encarar como se quisesse nos matar.

— Hum, eu me viro a partir daqui — digo, apesar de provavelmente ser mentira. — Sério, vou ficar bem.

— *Ce n'est rien* — murmura Jean-Luc, e ele até sorri para mim. É estranho, parece que o rosto dele não foi feito para sorrir. As feições angulosas e os lábios carrancudos foram feitos para ficar pensativo, fulminar os outros com o olhar e franzir a testa. — Eu não conseguiria olhar nos olhos da sua mãe de novo se você fosse encontrada morta numa caçamba de lixo.

— Bem, tem isso — digo, e depois esbarro nas costas de Vic porque ele parou de repente.

— Ah, merda! — exclama ele. — Mudança de planos. Vamos! Embora. Para bem longe daqui.

Ele recua, quase me pisoteando, e de repente uma voz aguda exclama:

— Calma aí, garoto francês! Venha aqui, seu magricela, agora!

Olho para trás de Vic, para a porta, e vejo uma garota que parece uma valquíria, ladeada por dois seguranças musculosos com escutas nos ouvidos. Ela é uma super-heroína da Marvel, com um vestido colado de estampa de oncinha. Tem longos cabelos ruivos, sobrancelhas delineadas e surpresas embaixo de uma franja curta, além de um olhar de pura fúria no belo rosto enquanto aponta o dedo com esmalte vermelho para Vic.

— Eu? — Vic aponta para si mesmo. — Quer falar comigo?

— Não me obrigue a ir até aí pegá-lo!

Imagino a garota nos pisoteando com os saltos afiados, batendo na cabeça de Vic com a prancheta e o arrastando pelo cabelo até seu castelo no degrau.

A grande fila de moderninhos, clubbers e vítimas da moda presta muita atenção. Todos observam Vic enquanto ele se arrasta a contragosto na direção da porta, como se não controlasse os próprios pés. Eu não ficaria surpresa se a garota tivesse lhe jogado um feitiço.

79

Jean-Luc e eu o seguimos. Jean-Luc está sorrindo de novo. É um sorriso levemente maldoso, alegre, como se ele já soubesse o fim da piada.

— Qual é a graça? — pergunto a ele, que balança a cabeça.

— Você vai ver.

O que vejo é uma garota se inclinando para a frente e estalando os dedos no rosto de Vic. Ele ergue as mãos para o alto e se rende.

— Agora, Audrey, *chérie, ma belle, mon amour, ma petite fleur*, eu posso explicar — diz ele, com o sotaque ficando bem francês de repente, como se tivesse saído do Eurostar pela manhã. — É tudo um grande mal-entendido.

— Nem tente se safar com seu francês — retruca, zangada. — Alguém me disse que você nem é francês. Que você, tipo, torce para o Arsenal!

— Eu sou francês! — Vic parece horrorizado com a sugestão de que não é francês. — Pelo amor de Deus! É possível torcer para o Arsenal e continuar sendo francês.

— Tanto faz! — A garota balança a cabeça para trás a fim de acalmar o pequeno grupo de pessoas que tenta conversar com os seguranças e ganhar entrada enquanto ela está prestando atenção em outra coisa. — Nem pensem nisso! Voltem para a fila ou vou bani-los daqui para o resto da vida. Nunca esqueço um rosto.

Para ela, ser durona é uma forma de arte. Quando eu crescer, quero ser ela.

Ela se vira para Vic de novo.

— E nunca esqueço um desgraçado imprestável que não liga, não manda mensagem...

— Ah, *chérie*, perdi seu número...

— Eu adicionei meu número no seu celular. E você viu quando fiz isso.

Ela põe as mãos nos quadris. Com os saltos arranha-céus mais o degrau, ela está numa posição perfeita para encarar Vic do alto, como se ele fosse alguma espécie particularmente nojenta de vida lacustre que respira pela boca.

— Perdi meu celular!

— E eu devo ter perdido a cabeça para deixar que você me seduzisse com aquelas tortinhas de chocolate que fez e com as coisas que dizia em francês. Você *murmurou* em francês. Isso não devia ser permitido.

— Não pode me culpar por falar minha língua materna. — Vic abaixa os olhos e une as mãos em posição de oração, como se estivesse do lado dos anjos. O efeito é bem devastador. — *Je suis vraiment désolé.*

— Ah, meu Deus! Está fazendo de novo! Não consegue se segurar, não é, Jean-Luc? Pare de dizer palavras com seu sotaque francês ridículo e sexy.

Escuto um sibilo estranho vindo de Jean-Luc do meu lado.

— *Incroyable!* — explode ele de repente. — Usou meu nome? De novo? *Ça va pas la tête?*

Vic afasta-se do ataque duplo.

— Claro que não estou louco! — Ele se vira para Audrey de novo. — Não ligue pra ele. Ele não entende muito inglês. Mal sabe o que está dizendo.

— Eu sei dizer "maior babaca"!

— Meu Deus, que maldade toda é essa? Nem me disse seu verdadeiro nome? — pergunta Audrey, erguendo a prancheta.

Acho que ela realmente vai bater na cabeça de Vic. Para ser sincera, ele meio que merece isso, mas nosso tempo está acabando.

— Hum, ele não presta. Ele tem vários tipos de problemas emocionais — grito, e de repente a atenção de Audrey e da fila inteira está voltada para mim. Nunca percebi tanto o quanto meu short fica subindo nas coxas. — Estamos providenciando ajuda para ele. Remédios, terapia, esse tipo de coisa.

— Se não der certo, nosso plano é prendê-lo por muito tempo — acrescenta Jean-Luc. — Muito, muito tempo.

Vic abre os braços.

— Claro que não sou confiável perto de mulheres bonitas. Meu bom senso simplesmente desaparece, e...

— *Mon Dieu!* Nem mais um pio! — Jean-Luc dá um passo à frente, mas não tenta bajular Audrey com um sorriso ou segurando sua mão. Acho que ela bateria nele se isso acontecesse. — Sou Jean-Luc. Esse... esse imbecil é Vic, meu primo. Vamos fingir que ele nem existe. E essa é...

Ele me empurra para a frente.

— Eu sou Sunny e estou tentando achar meu namorado... — começo a dizer, mas a porta se abre para alguns frequentadores suados saírem, e a fila avança.

Audrey ergue a prancheta como um escudo.

— Ordem! Ordem! — grita ela.

Ela tem um jeito bem Khaleesi. Não ficaria surpresa se aparecessem três dragões de estimação circulando em cima de nós. Audrey analisa os rostos esperançosos e ansiosos virados para ela.

— Você, você, você. Não, você não, nada de barbas. E você, de verde, com certeza. Amei sua roupa, querida.

Os quatro escolhidos passam rapidamente pela porta, como se esperassem que Audrey fosse mudar de ideia no último instante. Então ela me chama com um dedo imperioso. Eu me arrasto para a frente. Parece que estou sendo chamada pela minha bisavó, que sempre pedia para eu chegar perto para que ela examinasse meu cabelo, minha roupa ou minha pele, e depois dizia sim ou não para cada um. Normalmente era um não.

— Sunny, não é? — confirma Audrey. — Procurando o namorado, então você não está... com nenhum deles?

Jean-Luc e Vic estão de frente um para o outro, novamente discutindo em francês.

— Não! Eles estão apenas me ajudando a encontrá-lo. São amigos de minha mãe.

Que ridículo! Falar de minha mãe para alguém tão incrível quanto Audrey. Ela deve ter chegado na Terra de carona numa estrela cadente.

— Argh! Eu nunca deixaria minha mãe escolher meus amigos. Ela quer que eu seja amiga de cristãos renascidos que adoram cantar madrigais. — Audrey joga alguns cachos ruivos por cima do ombro. — O que está fazendo com essa vassoura?

Olho para a vassoura que ainda está na minha mão. Nem é uma vassoura legal, daquelas antigas de madeira.

— Ah, eu fiz um churrasco e alguns amigos ficaram bêbados e incendiaram nossa vassoura, então um deles comprou uma nova para mim. Bem, é que minha mãe vai voltar das férias amanhã e vai ficar, tipo, "o que aconteceu com a vassoura?", e aí é isso, nova vassoura.

Audrey balança a cabeça, como se nem tivesse palavras para o quanto minha história e minha vida são sem graça.

— Agora, e esse namorado? — pergunta ela.

Tento ser sucinta. Ir direto ao ponto. Porque, apesar de Vic, acho que Audrey nunca deixaria um garoto sequer *pensar* em beijar outra garota. Não que Mark tenha pensado muito no que aconteceu. De acordo com ele, foi tudo muito de repente.

Eu não sou sucinta. A história toda sai numa bagunça de palavras, e termino mostrando a ela a última mensagem de Mark enquanto explico:

— Achei que a gente estivesse bem, que tudo estivesse resolvido, mas agora, toda vez que combinamos uma coisa, ele vai embora com os amigos, eu nem sei se *aquela* garota ainda está com eles. Ele está sendo evasivo. Por que seria evasivo se não tem nada a esconder?

— Querida, odeio dizer isso, mas ele parece um babaca — decide Audrey, com carinho. — E ele disse que estava aqui dentro? Na *minha* boate?

Faço que sim e mostro para Audrey uma foto de Mark. Não *aquelas* fotos. Não consigo olhá-las de novo.

— Você o reconhece? Ele deve ter entrado na boate há mais ou menos meia hora. Disse que estava na lista de convidados, mas que a lista encerra às onze.

Audrey arqueia a sobrancelha já perfeitamente arqueada.

— Em primeiro lugar, eu que mando na lista de convidados e não acrescento pessoas aleatórias. Em segundo lugar, de que adiantaria ter uma lista de convidados que encerra às onze? Nada de divertido acontece antes de uma da manhã, no mínimo. E, em terceiro lugar, ele sempre usa a calça jeans assim?

— Assim como?

— Como um triste cantor de R&B de dez anos atrás — responde Audrey causticamente. — Para que todo mundo veja sua cueca. Eu *nunca* deixaria ele entrar na minha boate. Nunca.

— E se ele puxasse a calça para cima e não desse para ver a cueca?

— Jamais esqueço um rosto. Sinceramente, a Scotland Yard devia usar meus serviços. Ah, querida, se anime! — Sinto meu rosto desanimando, meu sorriso desaparecendo. — Londres é minúscula. É sim. Você vai encontrá-lo. Só não sei por que faria isso.

Falando assim, nem eu sei. Mark devia estar me esperando com chocolates e um monte de flores excessivamente caras, compradas num posto de gasolina. Ele não devia estar esperando que eu me acabasse de correr para alcançá-lo.

— Ele está sendo um babaca, não é?

Nem estou admitindo para Audrey, mas para mim mesma. Sinto meu coração, meus ombros e meu sorriso afundarem.

Audrey suspira.

— Eu espero, espero mesmo, que você faça esse babaca implorar por perdão. — Ela observa meu rosto. — Não. Talvez você ainda não tenha chegado nesse ponto. — Ela suspira de novo e pega o celular, que estava guardado no decote todo esse tempo. — Me mande essa foto, vou mandar para todas as hostesses que conheço. Mando uma mensagem pra você se descobrir alguma coisa.

— Que gentileza sua. Se tiver algo que eu possa fazer...

84

— Bem, se ficou amiga do senhor "vou-murmurar-coisas-em-
-francês", talvez pudesse colocar uns laxantes na sua bebida quando
ele não estiver vendo. Ou empurrá-lo na frente de um ônibus. Algo
assim. Não sou exigente.

— Ei, por que estamos esperando? Por que estamos esperando?
Por que estamos esperando?

A fila está ficando impaciente.

— É melhor eu continuar. Os nativos estão inquietos. — Audrey
coloca as mãos nos quadris. — Não posso deixar ninguém mais entrar
até que alguém saia! É contra a segurança e a saúde.

A multidão zomba em desaprovação. Audrey bate palmas para
que calem a boca.

— Também posso bani-los daqui pelo resto da vida. Eu tenho esse
poder! Não me obriguem a usá-lo — grita ela, enquanto volto para
perto de Vic e Jean-Luc, que pararam de discutir e de se empurrar,
mas estão de costas um para o outro.

— Eu me recuso a falar com ele — avisa Jean-Luc. — Só quando
ele se desculpar pelo comportamento deplorável.

É como se ele tivesse aprendido a falar inglês com a ajuda de um
livro didático da era vitoriana.

Nós três estamos num beco sem saída. As pistas de Mark esfria-
ram. Ele mentiu sobre onde estava e sobre o que estava fazendo, eu
ainda nem comecei a assimilar essa nova mágoa e Jean-Luc confessa
que está quase sem gasolina.

— Vamos voltar para nossa casa — diz Vic.

— Talvez seja melhor eu ir para a minha. — A vontade de tomar
sorvete e de chorar em Gretchen Weiner voltou, mais forte que nunca. — Pois é, é melhor eu ir pra casa.

— Não, venha pra nossa casa — convida Jean-Luc com uma voz
firme, levando-me até sua lambreta com uma mão ainda mais firme.
— Depois eu levo você para casa na van.

Percebo que não sei quase nada sobre Vic e Jean-Luc. Sim, os dois
são charmosos e franceses, mas eles podem muito bem ser charmosos

e assassinos franceses, e eu não estou nada a fim de ser assassinada. Ao mesmo tempo, também não estou nem um pouco a fim de descobrir como voltar para casa sozinha, então deixo ele me guiar.

Seguimos para as lambretas e dirigimos por Kingsland Road. Descemos outro beco minúsculo que vai dar num pequeno pátio.

É o outro lado de Londres, onde as sombras moram; não é tão bonito quanto as outras áreas. Não é tão empolgante. Aqui, os fundos dos prédios se agigantam, com ângulos estranhos se projetando, cheios de saídas de emergência frágeis e unidades de ventilação enormes. Tem dois rapazes com uniformes de cozinheiro sujos fumando perto de uma porta aberta. Espero que eles lavem as mãos antes de voltar ao trabalho.

— Moramos aqui — diz Vic.

Ele aponta para uma porta metálica onde se lê "KIM É UMA VAGABUNDA" pintado em letras brancas rudimentares. Ela é aberta e revela uma cozinha pequena, mas surpreendentemente limpa; imagino que é onde fazem suas lendárias tortinhas. Também tem um pequeno depósito na lateral onde eles guardam as lambretas enquanto tiro o carregador do celular da bolsa, enfio na tomada mais próxima e inspiro fortemente o ar. Tem cheiro de açúcar e chocolate, com um toque bem sutil de queijo e de café.

Percebo que estou com bastante fome e me animo quando Vic abre uma enorme geladeira antiga, que faz um barulho estranho enquanto zune como se fosse quebrar se colocassem mais um litro de leite ou pacote de manteiga ali dentro.

Ele pega um pote de plástico, tira a tampa e o acena tentadoramente na minha frente.

— Miniquiche?

Terry sempre diz que homens de verdade não comem quiche, mas não sou homem, então aceito uma. E depois outra. E mais uma, porque Vic continua estendendo o pote. Acho que ele sabe que se comportou muito, muito mal com toda a história de Audrey e por ter fingido que era Jean-Luc, pois ele não diz nada e começa a fazer café enquanto Jean-Luc mexe no cabelo, olhando no espelho em cima da pia.

Tudo ficou bem constrangedor. Os dois não estão se falando, e eu não os conheço tão bem para tentar resolver a situação.

Então meu telefone faz um barulho, e, como acho que é Mark, fico com aquela sensação nauseante de pânico que já se tornou familiar, mas é Emmeline.

Vc tá bem? Terminou com Mark? N sei se vc tá em casa. Tô no ônibus. Vou p boate no centro. Me liga se quiser ir. Abraços bjs Em

Eu quero. Eu quero muito.

— Sunny! Você está bem? Quanto sorvete tomou?

Salto do banco, aceito a xícara minúscula de espresso que Vic me oferece e vou para o pátio.

— Não estou em casa! Estou tentando achar Mark.

— Ah, é? — Emmeline parece estar se segurando o máximo possível para não gritar comigo. — Por favor, me diga que é para acabar com ele.

— Hum, não exatamente. Não é tão simples assim.

Minha única opção é contar a triste história de minha inútil odisseia pelo norte e leste de Londres atrás de um namorado que escapa das minhas mãos toda vez que estou quase o alcançando.

— Meu Deus, o que ele ganha tratando você assim? — grita Emmeline num momento, mas em geral ela consegue ficar quieta até eu terminar. — Ele beijou outra garota. Eu vi as fotos! Ela está beijando Mark, e ele está retribuindo o beijo, e depois ainda tem a cara de pau de brincar com você. Não é legal, Sunny. Não mesmo.

— Eu sei, mas ele explicou tudo e eu aceitei em geral, mas agora com ele desaparecido, não estou aceitando mais. Acho que estou começando a ficar bem zangada.

— Não aguento falar de Mark nem mais um segundo — resmunga Emmeline. — Agora me conte essa história de você estar com os

Godards. Como eles são? Eles são legais ou são mesmo metidos? Eles parecem ser metidos. Esses garotos artísticos costumam ser.

— Achei que você fosse gay — digo para ela. — Por que se importa?

— Isso não significa que eu não sou capaz de apreciar a forma masculina num nível estético. Além disso, Lucy diz que eles são engraçados. Mas ela não sabe ao certo se estão realmente querendo ser engraçados. Enfim, tipo, agora que conviveu com eles, o que...

— E Mark? O que eu faço agora? Vou pra casa ou...

— Bem, se está acordada, a quilômetros de casa e tomando café, venha pra boate com a gente, ou então você pode esperar alguma pista e depois ir atrás de Mark, mas só se me prometer que vai realmente confrontá-lo... O quê? — diz Emmeline para alguém, depois escuto vários gritinhos animados. — Ei, Sunny, tipo, vou colocar você no viva-voz, tá... e então, qual a altura dos Godards?

Escuto um barulho geral de bagunça no fundo de alguém que está com Emmeline. Parece que é toda a equipe feminina do *roller derby* de Londres.

— Bem, eu tenho 1,70 m e preciso olhar para cima, se é que me entendem, mas não é uma questão de altura.

Eu sorrio. Não consigo evitar. Sei o que é ficar a fim de um garoto. Vê-lo e o dia cinza e sem graça imediatamente se transformar num dia incrível e cheio de possibilidades, o tipo de dia em que tudo pode acontecer. Decorar cada um dos seus sorrisos e ficar se lembrando deles nos longos percursos de ônibus, ou quando está na cama pegando no sono, imaginando se ele não tem outro sorriso que você ainda não viu, um que seria todo e completamente seu.

Meu Deus, passei muito tempo sentindo isso por Mark, até ele me tirar de meus sonhos e os transformar em realidade. Tipo, no meu primeiro dia de aula depois que tive o norovírus. Eu ainda achava que ia vomitar se chegasse a menos de 500 metros do refeitório e sentisse o cheiro do picadinho institucional, então estava encolhida no banco perto do campo.

Mark e Archie passaram por mim com o uniforme de futebol, e Mark sorriu para mim.

— Você está bem, Sunny? — perguntou ele, e continuou andando, sem nem esperar minha resposta, mas aquele sorriso, o fato de ele ter me percebido, aquilo fez um jato de adrenalina ir direto para meu coração, e, de repente, senti como se pudesse correr uma maratona.

Talvez a realidade não tivesse atingido as expectativas de meus sentimentos. Daqueles sentimentos maravilhosos, de dar frio na barriga...

— Sunny? Ainda está aí? Como assim não é uma questão de altura? — pergunta Emmeline. — É o que então?

Afasto todos os pensamentos de Mark e sorrio novamente.

— É o quanto são *magros*, o quanto seus cabelos são bagunçados, o quanto eles são ou não franceses.

Eu não estava a fim de nenhum deles. Não enquanto sentia esperança de ainda ter um namorado. Enfim, memorizar seus sorrisos foi tão inútil quanto fazer um pedido para a lua. Não é só Vic que é areia demais para meu caminhãozinho, Jean-Luc também. Eles estão no mesmo nível de garotas tipo Audrey, que usam vestidos colados e saltos, e dançam como se ninguém estivesse vendo quando, na verdade, todos estão vendo porque elas são livres e lindas. Garotas assim.

Eu nunca vou ser uma garota assim. Nem sei se quero. Parece muita pressão, e não sei andar de salto.

— Então eles são franceses? — pergunta alguém que não é Emmeline.

— Tecnicamente, sim. Bem, Jean-Luc é. Ele só veio para Londres no ano passado. Vic diz que também é francês, mas ele mora em Londres há séculos, então acho que ele precisou devolver o certificado oficial de francesice ou algo assim.

— Parece que está se divertindo muito — comenta Emmeline, enquanto escuto um barulho atrás de mim.

Vic e Jean-Luc estão parados na porta da pequena cozinha, cada um segurando uma xícara minúscula de espresso, os rostos na sombra, então é impossível saber há quanto tempo estão parados ali, escutando minhas especulações sobre sua francesice e, meu Deus, sua *magreza* e...

— Você está bem, Sunny? Acabou de gemer como se estivesse sentindo dor — diz Emmeline.

— Não, estou bem — murmuro, e minha pele está tão quente de vergonha que fico surpresa por não entrar em combustão espontânea. — Eu não diria que estou me divertindo muito. Ainda não achei Mark, não é?

— Se estiver por perto, tente a loja de conveniência em Kingsland Road, onde acontecem as raves — diz alguém que não é Emmeline. Seja quem for, ela está ajudando muito. — Toda vez que apareço por lá, encontro todo mundo que já conheci na vida.

— Tá certo, vou tentar. Que parte de Kingsland Road? É uma rua bem longa, não é?

— Ah, é impossível não ver.

Isso não me ajudou em nada.

— Mando uma mensagem quando chegarmos ao centro, o que pode demorar um bocado porque esse ônibus está mais lento que a Era do Gelo — diz Emmeline.

Eu queria ficar falando ao telefone para sempre, o que é ridículo. Porém, Emmeline desliga e agora eu preciso voltar para perto de Jean-Luc e Vic com o rosto ainda pegando fogo.

Decido ficar onde estou, o que os deixa na sombra e eu não sei se estão furiosos por eu ter falado mal da francesice deles ou pior ainda; se estão com um jeito malicioso de quem entende tudo, achando que estou a fim deles.

Aceno a xícara de café e a coloco cuidadosamente no chão.

— Bem, obrigada por tudo. Vou embora. Não vou para casa, na verdade. Tem uma rave numa loja de conveniência em Kingsland Road. Talvez Mark esteja lá. Então, enfim, a gente se vê por aí, né?

Seria bem melhor enfrentar a ira coletiva dos *garçons Godard* que andar por Kingsland Road sozinha, mas hoje estou tomando decisões péssimas e uma a mais não vai fazer muita diferença.

— Deixe de besteira! — exclama Vic.

Porém, estou me afastando — bem, fugindo apressadamente, para ser sincera. Escuto o barulho metálico da porta do apartamento se fechando, e, depois, sinto algo com cerdas me cutucar entre as escápulas.

— Esqueceu a vassoura — diz Jean-Luc para mim. — E o carregador do celular.

— Vocês não têm mais nada o que fazer? — pergunto, apesar de estar meio que aliviada por não estar sozinha. — Quero dizer, é sábado à noite.

— Sábado à noite é o novo domingo à noite — rebate Vic, e eu nem sei o que isso significa. — Nunca fui a uma rave numa loja de conveniência antes e gosto de experimentar tudo uma vez. Pelo menos, uma vez. Quero dizer, a noite é uma criança. Nós somos crianças...

— Você não é tão criança — comenta Jean-Luc. — Sunny e eu somos mais novos. Bem mais novos.

— Eu tenho 21 anos. Sou novo!

— E eu tenho 19. Sempre vou ser mais novo que você, seu velho — argumenta Jean-Luc, de forma arrastada.

— E quem diz isso é o menino que me fez sair cedo do piquenique porque queria vir para casa e testar uma nova receita de tortinha com pasta de castanhas. Você parece uma dona de casa de meia-idade presa no corpo de um garoto de 19 anos.

— Você parece um idiota preso no corpo de um idiota.

Eles estão discutindo de novo, se empurrando de novo, e eu preciso dizer abruptamente para ambos:

— Calem a boca e se comportem ou vou deixar os dois aqui!

Eu jamais dissera algo tão abrupto assim. É como se fosse um grande salto para a Sunny-dade. E funcionou. Vic e Jean-Luc pararam de discutir, e nós começamos a andar.

O RAP DA ASINHA DE FRANGO

Escrito por Sunshine Williams e Emmeline Sweet

A gente precisa de frango
A gente precisa de molho de pimenta
O que a gente quer
Não está escrito em código (Morse)
Yo!

A gente gosta dela apimentada
A gente gosta dela grudenta
A gente come tanto
Mas jamais ficamos grudentos
Yo!

Asinha de frango é legal
Asinha de frango é gostosa
Ela dá um barato
Que é imbatível

A gente adora comer em casa
A gente adora comer na rua
A gente adora em tamanho família
Com fritas para acompanhar
Yo!

Não temos tempo para peito nem coxa
Não queremos saber de esperar na fila
A gente precisa da nossa comida ou vamos gritar
Boca pegando fogo, estamos vivendo um sonho
Yo!

Asinha de frango é legal
Asinha de frango é gostosa
Ela dá um barato
Que é imbatível

Asinha de frango! Asinha de frango! Asinha de frango!
(Repetir até o fim)

MEIA-NOITE

DALSTON

O nome Dalston, que fica no bairro londrino de Hackney, vem de "Deorlaf's tun, tun" é uma palavra muito, muito antiga para fazenda, e Deorlaf foi um nome que nunca pegou.

Nos anos de 1280, uma colônia de leprosos foi estabelecida em Dalston, pois a área ficava bem no interior, mas no século XVIII ela já se tornara uma vila suburbana movimentada. Em 1880, o famoso mercado de Ridley Road começou, e dizem que ele foi a inspiração para o mercado em Albert Square, em EastEnders, cem anos depois.

Em 2009, o Guardian decretou que Dalston era o lugar mais legal para se morar na Inglaterra, mas em 2011 já tinha deixado de ser legal, sobretudo, porque foi onde Britney Spears filmou o vídeo do seu single, "Criminal".

Nós viramos a esquina para entrar em Kingsland Road. É uma rua muito, muito longa que vai desde Hoxton — que é uma área descolada e hipster, e cheia de bares e galerias de arte e cafés com comida viva, que servem gosmas coloridas e nojentas feitas de vegetais de origem local, e sementes em potes de geleia — até Stoke Newington.

95

Stoke Newington é cheio de pessoas de meia-idade, que eram legais e hipsters, e que ainda acham que são, mas não são de jeito nenhum, mesmo que tomem café com leite de soja em cafés minúsculos, decorados com panos coloridos, e usem camisetas dos Ramones.

Minha mãe e Terry têm muitos amigos que moram em Stokey.

Enfim, não estamos na extremidade de Hoxton, artística e descolada, nem na extremidade orgânica de Stoke Newington. Estamos na área de Dalston de Kingsland Road, que fica mais no centro, e é meio que sem graça e simples, e tem muitas lojas de kebab, lanchonetes que vendem hambúrguer de frango e lojas de conveniência que ficam abertas a noite inteira.

Tem homens velhos e grisalhos encurvados na calçada, pegando no sono enquanto tomam latas de cerveja extraforte. Três garotas brigam e soltam gritinhos, com muitos puxões de cabelo e golpes de bolsas, na frente de um escritório de táxis. Uma gangue de moletons se aglomera numa esquina, mas eles param de falar quando passamos.

Talvez seja porque é tarde e estou meio elétrica por causa do espresso que era três vezes mais forte que um espresso normal, mas sinto um clima de perigo no ar e acho bom não estar sozinha, mesmo que o silêncio entre a gente esteja constrangedor. Também percebo um pouco de irritação.

— Não fique com raiva de mim — pede Vic, de repente, depois de três minutos sem ninguém dizer nada. — Aquela história com Audrey. É inevitável.

— O que é inevitável?

— Nem pergunte — murmura Jean-Luc, e eu viro a cabeça a tempo de vê-lo revirar os olhos de modo extravagante. — Não o incentive.

— Acho inevitável me apaixonar por mulheres bonitas. Eu me apaixono muito facilmente e muito intensamente. Mas tem tantas mulheres bonitas, Sunny, e aí aparece outra e eu me apaixono por ela e me esqueço da mulher bonita por quem eu já estava apaixonado. Não foi de propósito. — Vic me lança um olhar lateral sensual. — Acho que tenho a alma de um artista ou de um... de um cavaleiro poeta... acho que não fui feito para os tempos atuais. Não posso me apaixonar só por uma pessoa. — Ele suspira. — Isso é muito plebeu.

Não sei o que plebeu significa — acho que tem a ver com ciganos —, mas sei quando alguém está falando a maior baboseira.

— Tanto *faz!* — Eu respiro e esqueço que Vic é legal, meio que francês, areia demais para meu caminhãozinho e misterioso. Essas coisas não contam quando ele também está sendo o maior babaca. — Quanta besteira. Você não se apaixona de verdade por elas.

— Eu me apaixono sim! Um olhar, um sorriso, um estalo de dedos e eu já era! Meu coração é delas e somente delas.

— Até você ver uma garota mais bonita no dia seguinte e decidir que prefere dormir com ela — argumenta Jean-Luc.

— Então quando diz "se apaixonar" está dizendo, na verdade, que quer "transar com elas"?

Que típico! Os garotos são todos iguais. Todos nojentos.

— Ah, é tudo a mesma coisa — cantarola Vic, como se fosse engraçado. Eu digo "se apaixonar", você diz "transar". Vamos esquecer essa história.

Vic não é mais um enigma bem-vestido para mim. Ele está começando a me lembrar de meu irmão mais novo, Dan. Mas Dan só tem 11 anos, então ele tem tempo antes de começar a agir como um nojento, mas ele e Vic são igualmente irritantes.

— Estou quase batendo em você agora — confesso.

Jean-Luc sorri.

— Que ideia ótima. Bata. Bata mesmo. Não vou impedi-la.

— Você não entende o que é ser comandando pelo coração. Ser um escravo de sua paixão. Um prisioneiro dos seus desejos. — Vic se ergue e estende a mão para que seus desejos caibam ali. Ele é mesmo muito dramático. — O problema com vocês, ingleses, é que são muito frios. E você, Jean-Luc, é muito reprimido.

— Melhor ser reprimido que *un imbécile ridicule*...

— Na verdade, você está dando uma de pegador, só isso — digo, antes que eles possam começar outra discussão sarcástica com empurrões, e também porque isso precisava ser dito e, por algum motivo bizarro, eu de repente criei a coragem para isso. — Pode fingir que é algo fora do seu controle e que você é um romântico incurável, mas na verdade está apenas ficando com garotas aleatórias. E depois nem tem coragem de terminar com elas. De dizer "ah, foi divertido, mas não quero que isso se transforme em nada sério". Você nem faz isso, você simplesmente desaparece. É muito desonesto.

— Eu não faço isso! — Vic dá um passo rápido, ficando na minha frente, então preciso parar. — É bom ter o coração aberto para o amor.

— Parece que a única coisa aberta é sua braguilha — murmuro.

— Como acha que as garotas se sentem quando você fica no maior papo bonito, dorme com elas e sequer manda uma mensagem depois? Aposto que todas ficam se sentindo uma merda.

— Não! Sunny, não!

Vic tenta segurar minha mão, mas eu a puxo. Não estamos falando de Mark e de mim. De jeito nenhum. Mas, em circunstâncias diferentes, se aquela garota não tivesse aparecido, se não tivesse acontecido nenhum beijo, eu poderia estar perdendo a virgindade com Mark naquele exato momento. Então, apesar de eu não saber como é transar com um garoto — que é a coisa mais íntima que se pode fazer com outro ser humano — e depois ser descartada, estou começando a entender o que é amar alguém que não tem muita consideração por você. Pois é, eu sei exatamente o que é um garoto fazer você se sentir uma merda.

Vic ainda está andando para trás na minha frente.

— Só me apaixono por garotas que não retribuem meu amor. Acredite em mim, elas deixam isso bem claro. Eu nem tomo café da manhã no dia seguinte, é só "pode bater a porta quando sair, tá" — diz ele. — Na maioria das vezes, a gente nem troca número de telefone para que eu possa mandar mensagens. Audrey riu quando eu pedi o dela.

— Se eu fosse uma garota, eu não te daria meu número — retruca Jean-Luc. — Olhe só a cara dele! Nem um pouco confiável!

Nesse tempo inteiro, nós percorremos rapidamente um trecho muito, muito longo de Kingsland Road. Mas ainda não nos livramos da parte meio perigosa, e agora percebi que tem três caras de bicicleta atrás da gente. Tipo, bem atrás da gente. Se eu desacelerasse, marcas de pneu apareceriam em minhas panturrilhas.

Eu acelero. Vic e Jean-Luc também aceleram, como se nós três estivéssemos pensando a mesma coisa, mas talvez seja porque eles também estejam escutando os sussurros. Não é exatamente um sussurro, mas eles estão sugando o ar pela boca, e pelo jeito isso não vai dar em nada bom.

— Ei! O que uma moreninha está fazendo com um branquelo? — Os arrepios descem por minhas costas. — Você é boa demais para ficar com o bróder aqui?

Jean-Luc para com a mandíbula tensa.

— Não diga nada — falo tão baixinho que não sei se ele consegue me escutar.

Ele segura meu braço, e Vic pega meu outro braço, e nós descemos a rua com tanta rapidez que quase vamos saltando.

— Ei, sua vaca! Quer ver o que eu tenho aqui pra você? Quem fica com preto nunca mais quer saber de outra coisa.

Jean-Luc e Vic param novamente.

— Vamos! — digo, puxando-os para a frente.

Sei que não é certo as pessoas dizerem essas coisas. Eles podem ser negros, mas estão sendo racistas. É como se para eles eu fosse apenas a cor de minha pele. E eu estou meio acostumada com isso, mas normalmente isso vem do outro lado da cerca.

Ainda assim, tanto minha mãe quanto meu pai concordam que eu nunca devo me envolver quando estou numa situação tensa.

— Continue andando — canta minha mãe igual à letra da música da Dionne Warwick.

Ela sempre tenta colocar um pouco de humor e música em suas advertências, enquanto meu pai só faz me dar um sermão sobre as estatísticas de crimes com facas.

Além disso, o primo de alguém do colégio foi morto com facadas no ônibus 29 ao tentar separar uma briga. Passou no noticiário e tudo.

— Continuem andando! — digo, obrigando as palavras a saírem entre dentes.

Agora eles estão fazendo círculos ao nosso redor, os capuzes cobrindo parte de seus rostos.

— Ei, garotinha, quer um homem de verdade?

Percebo que saímos da parte perigosa de Kingsland Road porque vejo um cara de barba pontuda e chapéu-coco andando de uniciclo, mas continuamos sendo atacados pelos caras de capuz, que se aproximam cada vez mais enquanto nos circulam.

— Sua vaca, você precisa chupar meu pau!

— *Assez! Ferme ta gueule!* — exclama Jean-Luc, e agarra o guidão da bicicleta mais próxima. — Falar assim com alguém é imperdoável.

— Deixa pra lá — sussurro com firmeza, pois dois dos amigos do cara pararam.

Estou esperando ver alguma lâmina reluzindo, uma poça de sangue, mas nós seis, três de um lado, três do outro, estamos parados. Atentos. Esperando.

— Você devia pedir desculpas — diz Vic pensativamente. — Depois devia ir para casa. Qual é sua idade, hein? Onze anos? Doze?

Eu fico tensa, com os ombros batendo nas orelhas. Tento me lembrar do que aprendi quando ganhei o distintivo em primeiros socorros quando escoteira, mas acho que não estudamos as feridas causadas por facadas.

— Eu não tenho 12 anos. Tenho 16, tá? — Ele parece indignado. Ergue o corpo para ficar em pé nos pedais. — Claro que tenho.

— Que mentira — dizem Vic e Jean-Luc em uníssono.

Eles escolheram uma ótima hora para superar a briga.

— Vai pedir desculpas? — pergunta Jean-Luc. Ele e Vic são altos, até fortes, mas trabalham como chefs e baristas, e eu não acho que tenham alguma chance. — Ou vamos ter de obrigá-los a fazer isso?

— Você não pode obrigar a gente a fazer nada, cara — diz um dos outros garotos, mas sua voz está toda aguda como se ele a) tivesse mesmo 11 anos e b) estivesse cagando nas calças. — Se desrespeitar meu camarada, eu esfaqueio você.

— Até parece. Se fosse esfaquear a gente, já teria feito isso.

Meu Deus. Eu que disse isso! Como se meu subconsciente tivesse decidido que não se importa em levar uma facada. Que se cansou de não fazer nada enquanto eu deixo mais garotos me deixarem infeliz. Parabéns para meu subconsciente! Agora é minha vez de endireitar a postura.

— E só pra constar, não quero nada com o pênis de vocês, não importa a cor. Quero dizer, que grosseria!

— Tá bom. — O menor de todos murcha imediatamente, como uma alface de uma semana. — Desculpe.

Jean-Luc e Vic se afastam para o lado, como se soubessem que dou conta. Que eu preciso lidar com esses três para que haja alguma esperança de que consiga lidar com Mark quando eu finalmente alcançá-lo.

— Foda-se! Não vou pedir desculpas para uma vaca mestiça — desembucha o mais alto, e seus dois amigos afastam as bicicletas dele.

— Cale essa boca! — grita um deles, e me lança um cauteloso olhar de soslaio, antes de fazer que sim para o amigo. Os dois saem pedalando. — A gente precisa ir embora, né?

Estendo a vassoura na minha frente, como se fosse um bastão de luta antigo, e sinto meu cabelo ondular com a brisa fraca. Talvez, pela primeira vez na vida, eu esteja sendo durona.

— Está chamando a mana aqui de vaca mestiça, é, mano?

— Não sou seu mano — rebate o garoto, mas sua voz também ficou toda aguda agora. Estou até com um pouco de pena dele. — E não vou pedir desculpas por nada.

Mas não tanta pena.

— Ah, pois é, você ainda é o maioral, mesmo sem seus amigos, não é? — digo.

Eu me aproximo e roço as cerdas da vassoura em seu peito, bem delicadamente. Ele solta um grito de pânico, afasta-se para a rua e tenta fazer uma manobra, mas não consegue direito.

— Vaca! — grita ele uma última vez, e sai pedalando como se fosse uma questão de vida ou morte.

Eu me viro para Jean-Luc e Vic, que me fazem um gesto de reverência.

— Não acredito que acabei de fazer isso! — digo.

— Você sabe que a gente estaria aqui se acontecesse alguma coisa — argumenta Vic. — Mas parecia que você estava dando conta sozinha.

— Sim! Eu dei conta sozinha! Foi só passar a vassoura que ele desistiu na hora. — Eles vêm para meu lado, e começamos a andar de novo. — Só para você saber, Vic, ainda te acho um babaca por ter tratado Audrey daquela maneira.

— E eu te acho um babaca por usar meu nome com as garotas. Desprezível! Sunny, como se diz, hum, *véreux*?

— Hum, o quê?

— Sabe, hum, desonesto?

— Ah, isso! É muito desonesto. Você sabia que estava fazendo algo errado, e foi por isso que fingiu que era Jean-Luc.

— Muito desonesto — reforça Jean-Luc.

Mas essas palavras ficam ridículas com sotaque francês. É justamente o que Vic comenta quando passamos por uma multidão movendo os braços enquanto dançam na frente de uma loja de conveniência onde toca *deep house*.

— Pelo menos, eu sou francês, não sou como você, *le rosbif* — fala Jean-Luc.

Está na cara que eles vão ficar discutindo por um bom tempo.

— Deve ser esse o lugar de que eu estava falando — digo, mas eles me ignoram.

— Pela última vez, eu sou francês! Sou tão francês quanto você!

— *N'importe quoi!*

Deixo os dois se resolvendo, e abro caminho no meio da multidão feliz. Não acredito no que estou vendo com os próprios olhos.

Como me disseram, é mesmo uma rave numa loja de conveniência.

Tem pessoas fazendo fila no balcão para comprar cigarro, chiclete e água, mas nos corredores, na frente do papel higiênico, das batatas fritas e das embalagens de biscoito, e do refrigerador com leite, latas de refrigerante e salsichas polonesas, as pessoas dançam.

Tipo, dançam mesmo. Como se estivessem numa boate com luz estroboscópica e uma máquina de fumaça, com o piso lotado. Mas estão dançando numa loja, debaixo de uma lâmpada fluorescente tremeluzindo, e precisam desviar de pessoas que querem um pacote de biscoitos ou um pote de Nescafé.

Tem até um DJ numa plataforma perto de uma porta aberta com tiras de plástico penduradas, que deve ser a entrada do estoque.

Meu cérebro demora um pouco para assimilar. Então dou uma olhada rápida na loja, mas Mark não está aqui. Olho para o balcão e é então que *a* vejo, e meu coração não apenas afunda, ele despenca no chão e depois sai se arrastando para se esconder.

Sentada atrás da caixa registradora está Jeane Smith.

Estrela da TV. Colunista do jornal. Blogueira de moda. Rainha do Twitter. Imperadora do Instagram. Louca, malvada e completamente insolente. Eu não a suporto.

Ela estava dois anos na minha frente no colégio, ainda bem que já saiu de lá, e é amiga de Emmeline, o que significa que, mesmo quando está falando com Emmeline, ela me ignora. Não sou tão descolada para que alguém como Jeane reconheça meu direito de respirar o mesmo ar.

Porém, Jeane tem quase um milhão de seguidores no Twitter. Ela conhece todo mundo. Ou conhece todo mundo em Londres, e eu realmente preciso dos serviços de alguém que conheça todo mundo em Londres.

Pego meu coração, guardo-o de novo no peito e entro na fila do balcão.

Vic e Jean-Luc ainda estão lá fora. Estão se empurrando. De novo. Num nível puramente objetivo, acho sensual ver os dois brigando. Estou magoada, mas não morta.

Então o casal na minha frente paga o papel para cigarros e vários lanches, pois está na cara que vão pra casa fumar um baseado. Eles estão *fedendo* a maconha. Até daria para ficar chapada só porque estou parada ali atrás deles, mas não fiquei. Eu adoraria ficar, pois seria mais fácil agir naturalmente e com um jeito blasé enquanto sorrio para Jeane.

Eu digo sorrir, mas o que estou querendo dizer é uma careta forçada que certamente me deixa parecida com um macaco.

— Oi, Jeane.

— Oi — ecoa ela, estreitando os olhos e suspeitando, como se eu fosse algum tipo de perseguidora quando, na verdade, eu nem a sigo no Twitter. Eu segui, mas ela não me seguiu de volta (nem depois de várias conversas com ela e Emmeline sobre tudo, de *The Great British Bake Off* ao nome que Emmeline ia escolher para o *roller derby*), então parei de segui-la. Como se Jeane fosse perceber. — Como posso ajudá-la?

Talvez a carreira de Jeane de tagarela profissional tenha dado errado, pois ela parece estar trabalhando na caixa. Tento mais um sorriso. Acho que nunca me odiei tanto.

— Nós estudávamos juntas. Quero dizer, você estava dois anos na minha frente, mas sou a melhor amiga de Emmeline. Sabe, Emmeline, do *roller derby*.

— Ah? Ah! — Jeane faz que sim. Franze a testa. — Hunny? Bunny?

— Sunny!

— Sunny! — diz a voz de Vic em meu ouvido. Ele e Jean-Luc passam por mim. — Pegue chocolate, a gente vai pegar batatas. Ah, Jeane! Linda como sempre.

Tudo que posso dizer de Jeane, pois quase todo o seu corpo está escondido atrás da caixa, é que ela veste um macacão de poliéster quadriculado azul. Ela também está com o cabelo quase todo preso num lenço, mas os fios que estou vendo têm a cor água-marinha.

É todo um visual.

Vejo o olhar de Jean-Luc, e seus lábios se contorcem milimetricamente. Ele acena para Jeane.

— *Enchanté* — murmura ele, e depois se vira para mim. — Quer batatas?

— Doritos, se tiver.

— Então você ficou amiga dos Godards — diz Jeane. — Que interessante.

— Não é tão intere...

— Conseguiu achar os únicos garotos de Londres que têm o cabelo quase do tamanho do seu. Seu cabelo é enorme — acrescenta ela, com um tom acusador. — Eu adoraria que meu cabelo ficasse assim.

Se eu ganhasse uma libra toda vez que uma garota branca me dissesse que queria ter o cabelo igual ao meu, eu teria umas cento e cinquenta libras a mais em minha poupança.

— Na verdade, eu os conheci hoje. Eles estão me ajudando a achar meu namorado, Mark.

Achei que estava ficando imune, mas só dizer o nome dele faz meu estômago revirar, assim como acontece quando minha mãe manda uma mensagem dizendo que a gente precisa "conversar" quando eu chegar em casa. É como se meu sistema digestório tivesse poderes proféticos. Nada indica melhor a ruína, a mágoa e um possível castigo que o revirar de meu estômago.

Ele revira, mas Jeane diz apenas:

— Sim, eu conheço Mark. Ele é entediante. Emmeline o odeia. Diz que você merece alguém bem melhor.

Não é nada que Emmeline não tenha dito para mim, mas o fato de que ela compartilha esses pensamentos com outras pessoas, como Jeane, faz meu estômago revirar de novo. É uma pequena violação do código feminino.

105

— Sim, bem... — tento dizer, mas a verdade é que Emmeline tinha razão sobre Mark. Durante todos aqueles meses em que eu o desejava de longe, ela sempre pressionava os lábios e dizia "Sério? Ele? Não acha ele meio sem graça?", mas eu estava apaixonada demais para escutá-la. Além disso, Emmeline é lésbica, então o que ela entendia de garotos? Mas pelo jeito ela entende bem mais que eu. — Talvez eu mereça alguém melhor, sim. Mas primeiro preciso achar Mark para que eu possa... sabe. Preciso encontrá-lo e...

— E o quê? — Jeane se inclina para a frente, apoiando-se nos cotovelos, e praticamente enfia o rosto no meu. — É por causa daquelas fotos que estavam circulando mais cedo?

Não adianta tentar disfarçar.

— É sim.

— E vai dar o maior pé na bunda nele, né? Traiu, perdeu, pé na bunda. — Jeane faz que sim enfaticamente.

— Ele não perdeu ainda, mas acho que ele pode ter traído sim. Ele disse que não, mas está me evitando e ele só faria isso se soubesse que fez algo muito, muito...

— Meu Deus! Quando parar de fofocar, será que pode atender alguém? — reclama um homem atrás da gente. — Não tenho a noite inteira, droga.

Jeane suspira sofridamente. Ela realmente não foi feita para trabalhar com o público.

— Com licença! A felicidade de uma jovem depende do resultado desta conversa, tá bom? — diz ela, pomposamente.

Eu me viro e acho que meu rosto parece bem arrasado, pois o homem simplesmente ajusta os óculos hipster de armação preta e se acalma.

Jeane se estica para trás e grita mais alto que a música:

— Frank! Pode assumir aqui um pouco?

Um cara asiático e bonito, usando bermuda de praia e uma camiseta do AC/DC sai de trás da plataforma e serpenteia pelo corredor.

— Sabia que ia ficar entediada depois de dez minutos.

— Dez minutos, não. Aguentei 15 — argumenta Jeane. — Frank, esta é Sunny, ela tem o maior cabelo de todas as pessoas que conheço. Sunny, este é Frank, o gênio que teve a ideia de fazer uma boate na loja do pai. Até passou na TV!

— Tem uma equipe de filmagem vindo de Tóquio na próxima semana também — revela Frank orgulhosamente, enquanto aperta minha mão e depois olha para trás de mim. — Então, quem é o próximo?

Jeane deixa o balcão. Eu tinha esquecido o quanto ela é pequena. Emmeline diz que ela ficou anã por nunca ter comido um único legume na vida.

— Por que está segurando uma vassoura?

Começo a explicar para Jeane a história da vassoura, mas só consigo chegar à parte do churrasco, pois ela ergue a mão atarracada.

— Tanto faz! Esqueça que eu perguntei. Enfim, voltando para seu namorado babaca. O que vai fazer quando encontrá-lo?

— Ainda não decidi — admito, enquanto nos encostamos na barraca da loteria. — Espero que eu fale coisas incríveis e sinceras que o façam questionar a própria existência, ou ele vai explicar que beijar uma... uma *garota* que praticamente estava só de calcinha foi o maior mal-entendido, e então vou perdoá-lo porque sou completamente ridícula. — Era a verdade. Por isso meu estômago revirava para a esquerda, para a direita e para o meio. — Mas primeiro preciso encontrá-lo.

— Bem, eu posso ajudá-la, mas só se você prometer que vai escolher a primeira opção, não aquela outra em que você rola para o lado e se finge de morta — diz Jeane, com expressão séria, enquanto segura o telefone no alto.

Talvez eu estivesse errada a respeito de Jeane. Apesar de eu não estar errada sobre o quanto ela é mandona.

— Não sou como você. As palavras certas nunca saem de meu cérebro e chegam até a boca.

Jeane balança a cabeça.

— Seu cabelo é tão confiante. Precisa ser mais como ele. Uau! Eis um belo post para o blog. Cabelo como modelo de vida, discutam.

— Jeane, nem tudo na vida acontece para virar um post no seu blog — digo, pois meus erros são meus erros e não quero que eles sejam compartilhados com os milhões de pessoas que prestam muita atenção em tudo que Jeane diz.

— Agora sim! Sabia que você conseguia ser, pelo menos, um pouco mais durona — encoraja ela. — Vou mandar mensagens para o pessoal em que confio, avisando que estamos procurando Mark. Aposto que vamos encontrá-lo onde quer que ele esteja.

— Ah! É mesmo? Que gentileza sua!

— Não seja melosa, Sunny. Ninguém gosta de quem é meloso — diz ela, enquanto passa o dedão na tela do celular com uma velocidade difícil de compreender.

Não preciso pensar em mais nada para dizer que me faça parecer durona, pois as pessoas de repente pararam de dançar e estão batendo palmas e dizendo "aê, uhu!".

Olho ao redor e vejo, meu Deus do céu, Vic em cima do freezer fazendo... nem sei o que ele está fazendo. Acho que talvez o passo *running man*. Eletrizado. Suas pernas parecem mais espichadas que nunca, especialmente quando ele segura o tornozelo, de vez em quando. E seus braços. Caramba! Parece que ele está num barquinho a remo, sendo perseguido por piratas.

Ele está fazendo biquinho, e não sei se isso deixa Vic ainda mais descolado que antes, ou se ele perdeu uns 90 milhões de pontos no ranking dos descolados. Uma coisa eu sei: é impossível ficar com raiva de alguém fazendo o *running man* em cima de um freezer.

Vic vê que estou sorrindo, acena e termina com um belo giro que deixaria qualquer membro de *boy band* orgulhoso. Depois ele salta do freezer.

— Sua vez — grita ele. — Vem, Sunny!

— Não, não, não!

Balanço a cabeça. Eu não danço. Bem, eu danço, mas no chão e com meus amigos. Aí sim eu danço. Mas não aqui. Não agora.

Mas todo mundo está me olhando. Batendo palmas. Eles nem me conhecem, mas todos começaram a entoar meu nome, e agora cinquenta desconhecidos sem nada para fazer numa noite de sábado, além de se divertir numa loja de conveniência, sabem meu nome.

— Sunny! Sunny! Sunny! Sunny! Sunny!

Olho para ver se tem alguma maneira de sair correndo até a porta, mas claro que não há porque todos estão formando um círculo ao meu redor.

Não tenho o que fazer. Vou topar. Vou ser corajosa.

— Segure isso — digo para Jean-Luc, e lhe entrego a vassoura.

Então vou lentamente para o centro da loja.

— Sunny! Sunny! Sunny! Sunny! Sunny!

Fecho os olhos, respiro fundo e depois faço um passo de dança desajeitado, chutando um rapaz atrás de mim. Paro da maneira mais brusca possível.

— Vamos lá, Sunny! Você consegue! — exclama Vic.

Voltei a odiá-lo, mas depois a música grave, permeado pelo baixo, é trocada por uma mais melódica e com ritmo.

Dou mais dois passos e percebo que preciso colocar toda a fé em minhas pernas e esperar que elas não me desapontem.

Estendo as pernas, com os braços colados ao corpo, e agora é tudo um pouco *Riverdance*, mas escuto alguns gritos de incentivo, então está na cara que não posso desistir. E eu consigo fazer isso. Fiz sete anos de dança: sapateado, dança moderna, jazz e até um pouco de balé, então decidi que preferia dormir até tarde nas manhãs de sábado.

Foram sete anos de treinamento para este momento. Respiro fundo de novo, começo a estalar os dedos no ritmo da música e tudo bem, pelo jeito, estou fazendo o Charleston. Não aquela parte em que se cruzam os joelhos, mas os chutes e os braços. É fácil e aterrorizante, mas depois se torna nada assustador. Dançar com todo mundo assistindo e gritando "aê, uhu!" e "isso aí, garota!" é algo alegre e libertador, pois meu corpo consegue fazer coisas incríveis ao som da música quando eu mando a porcaria do cérebro calar a boca.

Ah, se minha antiga professora de dança, Stacey, me visse. Ela passava as aulas gritando no meu rosto:

— Pare de pensar demais! Mexa os pés! Mais rápido, Sunny, mais rápido! É um foxtrote, não é um trote de tartaruga!

Agora sou Ginger Rogers. Sou Josephine Baker. Sou Baby, de *Dirty Dancing*. Sou uma garota agitada e imprevisível, rodopiando e girando até um garoto que não conheço aparecer de repente no círculo e imitar meus passos perfeitamente, então dançamos lado a lado em harmonia perfeita por alguns minutos, até eu admitir a derrota e parar ofegante, sem ar.

O círculo se fecha ao redor de meu parceiro, e eu me curvo, com as mãos nos joelhos, e espero meu coração parar de bater loucamente.

Alguém pressiona uma coisa gelada em minhas costas.

É Jean-Luc com uma garrafa d'água que é tão bem-vinda quanto, bem, uma garrafa d'água gelada numa noite quentíssima de agosto, depois que dancei o Charleston numa loja lotada sem ar-condicionado.

— Depois é sua vez? — consigo dizer, ofegante. — Não pode deixar Vic dançar melhor que você.

Ele estremece. Curva o lábio superior. Arregala os olhos.

— Você vai ver que sei dançar melhor. Além disso, só sei dançar valsa. É impossível dançar valsa num lugar onde vendem Pop-Tarts. *C'est une abomination!*

— Ah, é possível sim — digo, e juro que Jean-Luc pisca para mim por um rápido segundo antes que suas feições voltem a se franzir com uma força mediana. — Se realmente quiser.

— Sunny! Menina, você sabe dançar! — Vic se aproxima com um *moonwalk* e faz uma arma com os dedos. — A gente devia combinar de sair pra dançar alguma noite. Uma banda enorme, você, de vestido brilhoso, eu, vestido como um pinguim.

— Ah, então vou ser uma das garotas de sorte com quem você mantém contato?

110

Dançar o Charleston e deixar a música abafar o som da voz cheia de dúvidas em minha cabeça está me dando mais uma injeção de coragem no coração.

— Sunny, você está me magoando — diz Vic desanimado. Ele põe as mãos no peito. — De verdade.

— Eu o perdoo por ser um nojento, mas está em condicional.

Estou molhada em todas as partes do corpo onde não queria estar molhada, e meu cabelo está murchando enquanto viro a água num único gole glorioso. Assim que acabo, Jeane chama a gente com um estalo dos dedos. Ela acena com o celular na mão.

— Seu namorado terrível foi visto numa lanchonete de frango a dois minutos daqui — diz ela alegremente. — Se eu fosse você, jogaria molho de pimenta na cara ridícula e traidora do bofe.

— Não jogue molho de pimenta na cara ridícula e traidora dele — murmura Jean-Luc. — Ele pode ficar cego, e você seria presa pelos *flics*.

Pelo seu conselho, parece que Jean-Luc não vai comigo, e não tem problema. Posso jogar em Mark o molho de pimenta que serão minhas palavras furiosas e depois pegar o ônibus noturno para casa, mas Vic faz que sim para Jean-Luc, que também faz que sim e ergue as sobrancelhas, e eles se aproximam enquanto estendo o braço na direção do celular de Jeane para ver a mensagem sobre Mark estar "com uma galera de mauricinhos na lanchonete de frango em Kingsland Rd, perto da sauna meio estranha".

Tenho uma vaga ideia do local da lanchonete. Uma vez minha mãe foi a uma festa em Shoreditch House e ficou tão bêbada que depois, segundo Terry, ela esmurrou a porta de uma sauna de aparência estranha e perguntou se eles podiam lhe dar uma massagem rapidinha, então ela foi até a lanchonete ao lado e perguntou quanto frango ela conseguia comprar com uma nota de cinco libras. Que deselegante, mamãe!

— Certo — digo com uma voz de quem vai detonar alguém e anotar alguns nomes. — É, hum, você poderia pegar meu número caso receba mais alguma mensagem?

— Claro — responde Jeane. — Acabei de seguir você no Twitter também, apesar de você não estar me seguindo. Não entendi *mesmo* isso.

— Bem, é que...

— Eu gosto de você, Sunny — diz Jeane, como se fosse um decreto papal. — Quando a vi dançando, percebi que estava completamente enganada a seu respeito, o que é estranho, pois quase nunca me engano em relação a alguém.

— Você julga as pessoas de cara o tempo inteiro! — diz alguém, e, quando me viro, eu vejo Michael Lee, que também estava dois anos na minha frente no colégio e que agora está em Cambridge, estudando algo extremamente complexo e *continua* namorando Jeane, pelo jeito. Quando eles começaram a namorar, o assunto do colégio foi só esse durante, tipo, meses. — E com base em evidências fraquíssimas.

— Julgar as pessoas rapidamente não significa que meus julgamentos estejam errados — argumenta Jeane.

Ela tira o celular da minha mão e inclui seu número nos meus contatos sem nem esperar minha permissão.

— Você erra mais que acerta. — Michael Lee sorri para mim meio que dizendo sei-que-a-gente-se-conhece-mas-não-me-lembro--do-seu-nome-e-não-quero-que-nenhum-de-nós-passe-vergonha--então-vai-ter-de-ser-um-sorriso-mesmo. — Eu criei uma pontuação se quiser ver.

Enquanto saímos da loja, escuto Jeane reclamar.

— Não fez isso. Fez? Acho bom não ter feito.

QUINZE MINUTOS DEPOIS

Na verdade, existem três lanchonetes de frango em Kingsland Road que ficam perto de saunas estranhas.

Estão todos cheias. É noite de sábado. Meia-noite e quarenta. Se a pessoa está indo para casa ou para outro lugar, ela precisa comer um frango, certamente com batata frita e uma bebida bem gelada num copo maior que a própria cabeça.

Quando chegamos à última lanchonete, bem do lado de uma sauna estranha, tento ficar com uma expressão de combate. Ajeito o cabelo para cima e cerro os punhos. Mas não adianta. Faz horas que almocei uma baguete com atum e maionese, e depois disso só comi duas tortinhas e três miniquiches. Estou sentindo uma dor que tem mais a ver com fome do que com coração e orgulho. Meu estômago *literalmente* acha que cortaram minha garganta.

Além disso, Mark não está na última lanchonete de frango. De certa maneira, a noite de hoje está sendo uma metáfora para nosso namoro inteiro. A gente é assim: eu sigo Mark, mas quase nunca o consigo alcançar.

Mas então penso que andei de lambreta, dei um fora em garotos grosseiros e dancei o Charleston e penso que Mark nunca viu o que tenho de melhor.

Enfim, preciso comer asas de galinha. Asas de galinha extrapicantes. Com molho de pimenta. Os Godards ficam horrorizados.

— O frango nem é criado em liberdade — diz Vic, com uma voz escandalizada enquanto eu entro na fila longa, barulhenta e bagunçada. — Como sequer sabe que é mesmo frango?

— O molho de pimenta... é cheio de, como se diz, Vic? *Produits chimiques?*

— Produtos químicos. — Vic traduz seriamente. — E muitos. E injetam água, hormônios, antibióticos e sei lá mais o que nos frangos.

— Parem de tentar estragar meu relaxamento com asinhas de frango. — Jogo os ombros para trás, irritada. — Vão pedir alguma coisa?

— *Mais non!*

— Nunca!

— Bem, eu vou, então... vão achar um lugar pra sentar e me deixem com minha vergonhosa fast-food.

Demoro séculos para chegar na frente da fila. Séculos para pôr as mãos numa caixa cheia de asinhas de frango quentíssimas, possivelmente carcinogênicas, batatas fritas e um 7UP que realmente é do tamanho de meu rosto, pois o pressiono na bochecha quando tento abrir caminho no meio da fila e procuro Vic e Jean-Luc.

Tem mesas e cadeiras dos dois lados da lanchonete. A fila serpenteia entre elas e até sai pela porta. Está tudo barulhento e caótico, todos gritando e se empurrando. Um grupo de garotas com vestidos minúsculos e saltos gigantescos forma um círculo ao redor de uma de suas integrantes. As meninas pressionam lenços de papel na amiga.

— Ele é um babaca! — Escuto uma delas dizer enquanto passo. — Jamais gostei dele mesmo. Meu Deus, você merece alguém *muito* melhor.

Jean-Luc e Vic acharam uma mesa bem perto da porta. Não apenas uma mesa. Vic está no seu paraíso particular. Já tem quatro garotas sentadas ali, mas, quando digo garotas, quero dizer quatro deusas-super-heroínas-gatas, pois Vic gosta de um tipo específico de mulher — garotas com pernas de modelos da Victoria's Secret. Garotas insolentes e estilosas, e essas quatro têm insolência e estilo de sobra. São o tipo de garota cuja maquiagem — muito contorno, linhas grossas e elegantes de delineador e batom brilhoso — não derrete no calor. Garotas que podem se sentar numa lanchonete de frango usando, tipo, pijama, como se fosse algo completamente normal de se usar numa lanchonete.

— Ah, aí está você — diz Jean-Luc, e todas elas olham para mim com meu cabelo murcho e minha bochecha molhada onde pressionei a bebida, e dá para perceber que meu short subiu *de novo* na minha coxa e que a camiseta listrada preta e branca com que comecei a noite agora está mais preta e cinza. — Pode ficar com minha cadeira.

Nunca vou comer na frente dessas quatro deusas. Principalmente asas de frango, que vão me fazer sujar o rosto inteiro. Na verdade, nem sei se quero comê-las na frente de Vic e Jean-Luc.

114

— Ou pode sentar no meu colo — sugere Vic, dando um tapinha no joelho e mexendo as sobrancelhas como um tio pervertido.

Eu esqueço as quatro deusas.

— Vá sonhando! — exclamo, e pego a cadeira que Jean-Luc está oferecendo. — Obrigada.

Não é o suficiente para que eu queira abrir a caixa de asas de frango, mas dá pra esperar. Elas vão ficar empapadas, mas já comi coisas piores que asas de frango empapadas.

Duas garotas murmuram entre si enquanto encaram atentamente um celular, mas a que está mais perto, cujo cabelo platinado é tão macio e brilhoso que eu me pergunto se é de verdade, sorri para mim.

— Menina, você é poderosa — diz ela, com uma voz bem mais grave do que eu esperava. — Precisa tratar os gatinhos como lixo, senão eles vão pisotear você como aquela música da Nancy Sinatra. Sacou?

Saquei! Oi! Não que seja minha culpa, mas é que já faz muito tempo que passou da minha hora de dormir, a luz está tão forte e tudo está tão nítido, barulhento e hiperreal. Mas eu devia ter percebido. Emmeline e eu fazemos maratonas de *RuPaul's Drag Race* toda vez que uma dorme na casa da outra. Essas garotas são caras vestidos de deusas. Drag queens. Tipo mulheres, mas um pouco mais que isso.

Eu poderia dizer que saquei, mas normalmente eu deixo os gatinhos me pisotearem como na música da Nancy Sinatra, e eu também estava voltando a ser a Sunny que não faz nada além de sorrir de forma tola, boquiaberta. Porque eu sou, tipo, uma mulher, mas um pouco menos que isso.

— Ah, querida, não precisa ficar tão assustada. Nenhuma de nós morde — diz a pessoa sentada na minha frente. Ela (Emmeline e RuPaul dizem que só é educado usar os pronomes femininos se a pessoa com quem você está falando se identificar como uma mulher. Mesmo se ela tiver um pênis. A política de gêneros tem muitas regras. Jamais consigo me lembrar de todas) é mestiça como eu e usa um vestido justo prateado, com lantejoulas e um penteado colmeia gigantesco.

Tem de ser peruca ou aplique, pois eu sei que o cabelo da mulher negra não fica desse jeito, mas de todo jeito ela está com um belo visual retrô glam. — O que está fazendo com a vassoura?

Não consigo nem começar.

— É uma história muito longa — digo. — Muito, muito longa e entediante.

— Melhor deixar pra lá então. Agora, vai dividir suas fritas com a mana ou vamos brigar?

— O quê? Hã? — Balanço a cabeça para ver se as células do cérebro funcionam. — Ah, claro, desculpe.

Abro a caixa de asas de frango, rasgo a embalagem de papel e espalho as fritas. Nem queria dividi-las, mas de repente fiquei toda tímida de novo. Odeio quando isso acontece.

Também odeio as mãos que aparecem na minha comida, especialmente quando são mãos francesas indo direto para as asas de frango. A indignação faz minha timidez sumir como cuspe numa chapinha quente. Dou um tapa na mão dos dois.

— Soltem meu frango cheio de hormônios e produtos químicos, sua dupla de hipócritas — censuro os dois.

Jean-Luc assoma diante de mim.

— Eu dei minha cadeira a você — lembra ele, tentando sorrir encantadoramente, como se estivesse pegando dicas com Vic, que está me dando a versão mais velha do mesmo sorriso. — Enfim, se eu comer uma asa de frango, vão ser menos hormônios e menos, hum, *les produits chimiques* para você comer. Estou te fazendo um favor, *non?*

— *Non!* E *non* pra você também, Vic. — Agarro a asa de frango e a balanço em sua direção de um jeito acusador. Ele grita só de pensar que vai sujar com molho de pimenta a camisa branca, que está se saindo muito bem em continuar ofuscantemente branca. — Você disse que só come frango criado em liberdade.

— Jamais disse isso. Só salientei, como um amigo, que o frango daqui não é criado em liberdade. — Ele dá uma fungada, com expressão triste. — Está com um cheiro maravilhoso para um frango que não foi criado em liberdade.

— É o molho de pimenta com todos *les produits chimiques* — digo, e a, hum, dama com a colmeia e suas amigas sorriem.

— E ela voltou — diz ela. — Sou Shirelle, estas são Ronette, Shangri-Lá e Vandella. Temos os nomes dos quatro maiores grupos de mulheres dos anos 1960.

— Nada de Supremes nem de Chiffons? — pergunto, porque minha mãe gostava de todos os grupos de mulheres dos anos 1960.

Vandella, que está com um penteado bufante castanho e que deve estar com dois pares de cílios falsos, ergue a mão com unhas repletas de *glitter*.

— Ah, querida, por favor! Quem ligava para as outras duas Supremes quando Diana Ross estava na frente?

— Na verdade, só não temos uma Chiffon porque assim a gente ficaria com três nomes começando com o som de "xis" e uma Ronette — explica Shangri-Lá, a loira platinada. — Não daria certo.

— Bem, também tem The Shaggs, mas acho que Shagg não é um nome muito glamouroso — digo, e todas elas estremecem e concordam.

Percebo que não vou ser julgada por comer asas de frango na frente delas, então eu como, enquanto Jean-Luc, Vic e nossas novas amigas conversam sobre cantoras dos anos 1960, de como existiam muitos grupos femininos franceses incríveis e que era um sacrilégio o resto do mundo não os conhecer.

— *Um sacrilège*!! — grita Jean-Luc de vez em quando.

Ele está mergulhando as fritas no molho de pimenta, que deve ter deixado sua cabeça quente.

Eu e Shirelle nos olhamos e damos uma risadinha.

— Então, bonitinha, qual é seu sabor? Eu tenho um pai irlandês e uma mãe de Trinidad. Ambos católicos. Tem muita conversa sobre o fogo do inferno quando minhas avós estão reunidas. — Ela revira os olhos. — Eu costumava me fantasiar de uma freira chamada irmã Eviline. A avó de Trinidad achava hilário. A vovó irlandesa, nem tanto.

— Meu pai é jamaicano. Meus bisavós vieram para cá nos anos 50. E do lado de minha mãe, a família é inglesa e muito classe média, tradicional. Minha avó teve um chilique com a gravidez de minha mãe no segundo ano da universidade, e, quando descobriu que meu pai era negro, ela passou uma semana de cama.

— Meu Deus, sem querer ofender, querida, mas ela deve ser uma vaca.

— Que nada, ela é legal. Mora em Surrey, então acho que ela jamais sequer falara com um negro antes. Mas depois descobriu que meu pai estava estudando direito, e parece que eu era um bebê encantador, então ela terminou superando isso bem rápido. Ainda não superou meu afro, mas nem minha avó negra superou isso.

— Eu amo o afro. Assim dá vontade de deixar meu cabelo crescer também, mas, querida, não vai caber no mundo, e nem tenho tempo para isso — diz Shirelle

Depois ela me conta que o nome não drag dela é Paul e que, quando era adolescente, mandou fazer o logotipo do *New Kids On The Block* no cabelo.

— Quem são os *New Kids On The Block?* — pergunto.

Acho que ela vai chorar, pois solta um estranho gemido angustiado, mas depois continuamos conversando sobre nossos cabelos.

Passamos séculos falando dos cabelos.

— Acho que vou experimentar as tranças afro e o moicano quando voltar para o colégio — digo para Shirelle.

Estou mostrando alguns estilos no celular quando ele faz um barulho.

Achou Mark? Estamos no Soho. Vem p/ o Dive com a gente. Ouviu falar de um show secreto do Duckie? bjs Em

De alguma maneira, consegui esquecer Mark por 15 minutos inteiros. Eu tinha até me esquecido de Vic e Jean-Luc, que estão explicando como cuidam dos *seus* cabelos para Shangri-Lá e Ronette, que parecem enojadas, pois, no regime capilar de ambos, eles quase nunca lavam os cabelos.

Agora nós três somos um time. Já passamos por coisas juntos. Ou melhor, eu estou passando por coisas, e Vic e Jean-Luc ficaram do meu lado. Não posso me livrar deles para ficar com Emmeline e talvez assistir ao Duckie.

Além disso, e se Mark ainda estiver em Shoreditch? Estendo o pescoço imediatamente para ver se não encontro um cabelo loiro desleixado na multidão caótica no balcão.

— O que foi? — pergunta Vic. — A mensagem foi sobre aquele covarde do Mark? O namorado de Sunny está a tratando mal — explica ele para nossas amigas. — Nossa missão é caçá-lo porque ele é o maior cachorro.

— Ah, querida, não! Se dormir com cachorros, sempre vai acordar com pulgas — avisa Shirelle para mim.

Meu rosto esquenta, como se tivessem espalhado molho de pimenta nele.

— Não foi sobre Mark — nego rapidamente, porque foi ótimo conversar sobre cabelos com Shirelle, mas não estou a fim de conversar com ela sobre sexo também. — Foi de Emmeline. Ela está no Soho. Disse que talvez o Duckie faça um show secreto hoje. — Tento não soar muito ansiosa. — Você gosta do Duckie?

— Ah, adoro. Eu e Jane, do Duckie, nos conhecemos há tempos — diz Vic. Ele abre um pequeno sorriso que eu acho que não devia dar quando tem mais gente por perto, pois parece um pouco rude. — Há muito, muito tempo. Mas um cavalheiro não sai por aí dizendo quem beijou.

— Todo mundo percebe que você não é um cavalheiro — rebate Vandella, e Jean-Luc bufa, concordando.

Vic pega o celular.

— Vou mandar uma mensagem pra Jane. Descobrir o que está acontecendo — diz ele.

119

Como se não fosse nada grave o fato de que ele teve, tipo, relações íntimas com alguém que faz parte de uma banda incrível, que já tocou na TV e em festivais de verdade. E também o fato de que ele pode entrar em contato com ela a qualquer momento.

— Então, quando você conheceu Jane, do Duckie, há tempos, não fingiu ser Jean-Luc e depois foi embora sem trocar números com ela?

— Isso não foi nada legal, Sunny. Não quando eu talvez consiga fazer você entrar num show secreto do Duckie. — Vic se levanta. — Tá, agora a gente precisa de um novo plano. Não conseguimos encontrar seu Mark, então todos aqueles a favor de voltar ao centro, levantem a mão direita.

— Achei que a gente ia acordar cedo para cozinhar. — Jean-Luc dá de ombros e ergue a mão direita. — Não precisamos acordar cedo se não dormirmos. *D'accord*, Sunny?

Ergo a mão direita.

— *D'accord*. — Eu também me levanto e olho para Shirelle. — Topa?

— Querida, agradeço o convite, mas vamos até as profundezas sombrias de Hoxton para cantar num karaokê.

Shirelle e eu trocamos números de telefone. Eu até a convido para ir à casa de minha avó na segunda, porque vovó sempre faz uma festa no fim de semana do carnaval de Notting Hill, mas não sei o que ela faria se Shirelle chegasse com a roupa de drag. Ela provavelmente diria para Shirelle que ela não tem pernas bonitas para usar uma saia tão curta.

Vic lança beijos extravagantes para as garotas, mas quem causa suspiros é Jean-Luc, ao se curvar elegantemente e fazer uma mesura de brincadeira.

— *Mesdemoiselles* — diz ele, todo sério e bonito e francês. — *Ce fût un plaisir.*

O lado de fora está tão úmido e denso quanto lá dentro.

— É melhor a gente pegar um ônibus então — sugere Vic decisivamente. — Tem de existir um ônibus que vá daqui até o Soho. O 38 não para em Dalston?

Procuramos um ônibus ou uma parada de ônibus na rua.

— Precisamos voltar por Kingsland Road e pegar um 38 na estação — diz Jean-Luc, após olhar o celular.

Apesar de ter ganhado força com as asas de frango e de ter tomado uma quantidade de 7UP equivalente ao meu peso, a ideia de percorrer novamente a rua mais longa de Londres me deixa exausta.

— Podemos pegar outro ônibus que suba por Kingsland Road — saliento ao mesmo tempo que Vic recebe uma mensagem.

— Não dá tempo! Não dá tempo! O Duckie entra no palco em 45 minutos. As portas fecham em 30! — Ele termina a frase com a voz aguda. Ele deve realmente adorar o Duckie, ou então Jane, do Duckie, foi a super-heroína, amazona, garota-deusa que escapou, e ele ainda não a superou. — A gente tem dinheiro suficiente para o táxi?

Nós temos, mas tem uma fila gigantesca na frente do escritório de táxis meio estranho, e, enquanto começamos a discutir se é seguro entrar num táxi estranho, o ônibus que precisamos pegar passa voando.

É então que eu os vejo. Os moletons. Os garotos grosseiros. Os caras de antes. Eles não foram para casa, e sim desceram das bicicletas para olhar pela janela da lanchonete. Pode chamar de vingança, pode chamar de a coisa mais malvada que já fiz, mas eu me viro para Jean-Luc e Vic e digo:

— Vamos roubar as bicicletas deles e alcançar aquele ônibus!

— Sunny, não dá. É...

— Vamos! — É impulso de energia que me faz pegar uma bicicleta, subir nela e ir embora, com a vassoura alojada debaixo do braço. — Vamos!

Eles vêm. As opções são ficar lá para enfrentar a ira dos garotos ou se juntar a mim em minha onda de crimes de uma-menina-só.

Escuto um grito atrás de mim.

— Vaaaaaaaaaaaaccccccaaaaaaaaaaa!

Eu fico em pé nos pedais para poder ir mais rápido e não ser esfaqueada nas costelas.

Jean-Luc e Vic me alcançam. Estou rindo muito, e só assim para minhas pernas funcionarem.

Vejo o ônibus na minha frente, ficando cada vez mais perto. Ele para no próximo ponto, e acho que vamos chegar a tempo, mas, assim que estamos perto o suficiente para sentir o beijo quente do cano de escape, ele se afasta.

— Você é uma má influência — diz Vic, arfando, mas ele também está rindo.

Apesar de Jean-Luc estar encurvado por cima do guidão e de nós pararmos para recobrar o fôlego, escutamos um grito furioso atrás de nós. Os moletons estão chegando perto.

— Vamos, vamos, VAMOS!

Nós vamos. Pedalamos como profissionais até o centro da rua, recebendo buzinadas e xingamentos de todos os taxistas que querem fazer bandalhas. Dou um murro no ar com o braço que não está encarregado da vassoura quando alcançamos o ônibus e quase caímos, mas chegamos.

Saltamos das bicicletas e nos livramos delas, corremos os últimos passos até a parada e subimos no ônibus, nos espremendo para que haja espaço para o motorista fechar a porta enquanto nossos três inimigos aparecem.

Meu coração para quando eles batem na porta.

— Não deixe eles subirem — grita Jean-Luc. — Eles são pessoas muito ruins.

— Nem cabe, né? — diz o motorista.

Quando o ônibus vai embora, vejo os garotos parados, gesticulando e dizendo obscenidades, e mostro a língua para eles.

A HISTÓRIA DE MEU CABELO

De zero aos dois — os anos da penugem

Não tinha muito o que fazer com meu cabelo além de tirar fiapos.

Dois aos onze — os anos do sofrimento

Meu cabelo cresce bastante. Na época, minha avó dizia poeticamente que ele era da cor de feno mofado. Minha mãe o dividia e fazia pequenos montinhos afro. Minha bisavó jamaicana não achava isso suficiente. Quando eles me levavam para almoçar com ela a cada 15 dias, nos domingos, ela fazia um barulho baixinho e balançava a cabeça.

— O que você fez com a coitada da criança? — perguntava ela para minha mãe, que dizia que era assim que as outras garotas negras da escola usavam o cabelo.

Depois do almoço, a bisa me obrigava a ficar parada na cozinha enquanto soltava e penteava meu cabelo, o que doía. Depois chegava sua amiga, Pat, que morava não-na-casa-vizinha-mas-na-seguinte, e as duas faziam tranças bem apertadas no meu cabelo. Muito apertadas. Elas também doíam. No caminho para casa, minha mãe dizia que minha bisavó não tinha o direito de impor sua vontade no meu cabelo, mas só depois de uma semana de chiliques era que ela tirava as tranças, pois no fundo tinha medo da bisa.

123

Onze aos catorze — os anos do relaxamento

A bisa volta para a Jamaica, e minha avó, mãe do meu pai, decide que vai se tornar responsável por meu cabelo. O que significa que ela alisa meu cabelo com o mesmo relaxante que usa nas minhas primas, apesar de o meu não ser tão cacheado. São três anos de cabelo partido, com ela me acusando de lavar demais a cabeça até eu não aguentar mais. Uma medida drástica foi necessária.

Catorze e meio — o dia do aplique

No auge de minha fase Beyoncé, eu imploro sem parar por um aplique, mas vovó diz que não vai pegar no meu cabelo e minha mãe diz que sou nova demais. Num ato de rebeldia que ainda não foi superado, poupo minha mesada e a irmã da namorada do irmão mais velho de Alex diz que vai colocar um aplique em mim, mas meu cabelo está tão quebrado por causa do relaxamento extraforte de minha avó que ela precisa usar cola quente para deixar no lugar. É tão pesado que fica puxando parte do meu cabelo na raiz, e, quando minha mãe vê o que fiz, ela chora. Ela e minha avó se unem para cortar o aplique do meu cabelo. Fico praticamente careca. Não existe nenhum momento bom para ficar careca, mas a idade de 14 anos é certamente, definitivamente, a pior época da vida inteira para ficar praticamente careca.

Enfrentei algo muito tenebroso.

Catorze e três quartos aos dezessete — os anos do afro

Depois meu tio Dee, o irmão mais velho de meu pai, se casou com Yolanda (ou Yolly, como todos nós a chamamos), e ela me acolhe com minha enorme careca. É que Yolly teve uma experiência ruim parecida, com um aplique loiro. Depois que meu cabelo volta a crescer, Yolly é a primeira pessoa a dizer o quanto ele é bonito (especialmente quando as pontas ficam douradas no verão), e diz que eu devia pensar em usá-lo natural. Ela também é a primeira pessoa que conheci que não acha que meu cabelo é um problema a ser resolvido.

Então agora eu tenho um grande e belo afro, e apesar de, às vezes, eu escutar comentários maldosos ou ver olhares de desaprovação de garotas com apliques, e de minhas duas avós me dizerem que meu cabelo passa a mensagem errada para os outros, azar de quem não gosta.

Eu amo meu cabelo.

1h45

SOHO

Existe um boato de que a origem do nome é um antigo grito de caça, e até a metade do século XVI o Soho era cheio de ovelhas e vacas pastando.

Henrique VIII, num intervalo de seus casamentos, transformou a área num parque real, e depois muitas pessoas ricas e aristocratas construíram suas casas ali. Porém, no século XIX, o Soho tinha se transformado em um bairro sórdido, cheio de prostitutas e pessoas do teatro. No início do século XX, intelectuais, artistas e escritores iam até lá se embebedar nos muitos pubs e restaurantes.

Nos anos 1950, entretanto, os beatniks *chegaram, e foram abertos cafés onde os jovens podiam escutar poesia* beat *e* skiffle. *O famoso Marquee Club abriu em 1958, e os Rolling Stones tocaram no local em 1962, mas o Soho era mais conhecido por ter muitos clubes de strip-tease, sex shops e bordéis.*

Hoje, o Soho tem uma cena gay animada, cujo centro é Old Compton Street, e uma próspera comunidade chinesa em Chinatown, onde as placas de rua são em chinês e em inglês. Três palavras: pães no vapor. Quatro palavras: maravilhosos pães no vapor.

O ônibus está tão lotado que só paramos para que as pessoas desçam, e depois chegamos à estação Dalston Junction e nos alavancamos para fora, como ervilhas pulando para fora da vagem, bem na hora em que o ônibus 38 aparece magicamente.

Achamos espaço para nós três nos espremermos num banco no andar de cima.

— Uma rosa entre dois espinhos — diz Vic.

— Pode dar um jeito nos seus cotovelos antes que termine me perfurando o pulmão? — retruco.

— Dê um jeito nos seus próprios cotovelos — retruca Jean-Luc.

E então nós três ficamos nos empurrando para achar uma posição mais confortável. Eu perco e, com os cotovelos colados ao corpo, mando uma mensagem para Emmeline.

O show do Duckie VAI ROLAR! Não é brincadeira. Repetindo, o Duckie VAI ROLAR. No KitKat Club, na Romilly Street. Vá pra lá o mais rápido possível. Guarde lugar na fila pra gente. bjs Sunny

Remexo na bolsa atrás de pó, máscara e gloss enquanto os garotos arrumam o cabelo. Depois eu peço para Vic passar o spray Elnett em minhas mãos, para poder fazer meu cabelo também, e as garotas sentadas na nossa frente também pedem uma borrifada. Elas são do Canadá, saíram do país pela primeira vez, e Jean-Luc fala com elas em francês, dizendo apenas uma palavra ou outra que eu entendo: "Hampstead Heath", "abobrinha", "babaca". Está rolando uma despedida de solteira na frente do ônibus, todas estão com véus e uma placa dizendo "aprendiz". Soltam gritinhos e riem, e toda vez que um rapaz sobe ou desce a escada, elas lhe passam uma cantada: "Ei, musculoso! Para onde está indo, musculoso?".

Então alguém no fundo coloca no celular "Happy", do Pharrell, e logo todos no ônibus estão cantando, e aqueles que não o fazem, que bufam e reviram os olhos, não merecem estar ali naquele momento perfeito. Depois o ritmo acelera e começamos a cantar "Uptown Funk", e um idoso se levanta como se fosse gritar com todo mundo, mas, na verdade, ele nos rege para que cada lado cante uma harmonia diferente, e Vic, claro — quem mais? — começa a fazer uma ola, e nunca me diverti tanto num sábado à noite quanto no andar de cima do ônibus 38, e ainda nem chegamos ao show do Duckie.

Quando faltam cinco minutos para a lista do Duckie fechar, saltamos do ônibus na Shaftesbury Avenue, que está tão movimentada que parece a hora do rush. Pessoas apressadas voltando para casa depois de uma noitada, outras indo apressadas indo para a próxima festa, o próximo bar, a próxima aventura.

Andamos rapidamente por Dean Street, serpenteando no meio de riquixás e táxis pretos, depois pegamos Romilly Street, passando por Kettner's, com seu sofisticado bar de champanhe, onde a mãe de Terry comemorou o aniversário de 65 anos com um almoço e...

— Você sabe onde fica essa boate? — pergunto, e Vic se vira.

— Na verdade, não. Mas a rua é minúscula. Tem de ser por aqui.

— Sunny!

Do outro lado da rua, com o cabelo loiro refletindo a luz do poste, e acenando freneticamente, está Emmeline.

Tudo que fizemos desde que saímos da lanchonete de frango foi correr, mas, com uma última corrida frenética, vou até Emmeline, Charlie e algumas outras garotas do *roller derby*, e todas nós nos abraçamos, pulamos e:

— Meu Deus! A gente vai ver o Duckie!

Descemos a escada de metal ruidosamente e entramos no fim da pequena fila.

— Só vão deixar entrar 50 pessoas, mas acho que vai dar pra gente sim — diz Emmeline. — Por que está com uma vassoura?

— Archie me deu.

É tudo que preciso dizer.

— Ah, Archie... — Emmeline suspira, e depois olha ansiosamente para as pessoas enfileiradas na nossa frente. — Espero que a gente entre.

— Eu conheço Jane — diz Vic, com aquele sorrisinho de quem tem segredos. — Vamos conseguir sim. Ou eu vou conseguir. Não sei o resto de vocês.

— Mas eu poderia dizer que sou você, aí eu conseguiria — observa Jean-Luc.

— Caramba, nunca vai esquecer isso, né?

— Depende de quantas outras garotas você maltratou.

— Vocês conhecem Jean-Luc e Vic, certo? — pergunto, pois quando eles começam não demora para se empurrarem, e o cara da porta já está olhando para nós.

Todo mundo meio que já se conhece, mas fazemos apresentações formais e Vic beija todo mundo na bochecha, e Jean-Luc beija todo mundo nas duas bochechas. Quando Vic chega na vez de Emmeline, seus olhos brilham.

— Sunny me falou tanto de você. — A voz está doce e intensa como o espresso que tomamos mais cedo. — Mas ela nunca me disse o quanto você é bonita.

Jean-Luc e eu damos uma risadinha. Charlie olha para as amigas, como se não acreditasse que alguém fosse usar uma cantada tão brega com o rosto sério, e Emmeline olha fixamente para Vic. Eu conheço aquele olhar. É o olhar que ela me dá quando estou sendo uma tola. É normalmente acompanhado pela frase:

— Sunny, ninguém tem tempo para isso.

Mas não hoje.

— Eu sou gay. — É o que ela diz. — Sou muito, muito gay, então nem tente porque nada vai acontecer. Nunca.

O sorriso de Vic desaparece. Ele se vira para Jean-Luc querendo apoio moral, mas termina sendo empurrado.

— Ah, puxa. — Ele dá de ombros. — Não pode me culpar por tentar. Alguma de vocês não é gay?

— Somos todas superlésbicas — diz Charlie.

Eu sei que Lucy, atrás dela, ficou com o melhor amigo do irmão de Charlie algumas semanas atrás, mas até ela balança a cabeça.

130

— Pois é, superlésbica. — Ela cruza os braços e olha para Jean-Luc. — Mas eu poderia ser convencida por seu irmão mais bonito.

— Ele não é mais bonito que eu!

— Não sou irmão dele!

— Não comecem — imploro. — Eles passaram a noite inteira assim — acrescento para Emmeline.

Começo a contar tudo sobre as discussões de Jean-Luc e Vic, e eles insistem que estou exagerando até chegarmos à porta... e ao cara que está na porta.

Ele está sendo bem simpático, está sorrindo e até ri ao escutar partes de nossa conversa. Está usando uma camiseta do Duckie, então ele é um de nós, é gente boa.

— Podem entrar — diz ele, e começa a contar a gente enquanto entramos. Charlie, Lucy, Preeta, Emmeline, Jean-Luc, Vic e... — Lamento, acabou. Chegamos em 50. Não podemos deixar mais ninguém entrar. Se entrar mais, é um risco de incêndio.

Fico sobrando, parada com algumas pessoas que se juntaram à fila depois que chegamos.

— Ah, deixa disso, estamos todos juntos — protesta Emmeline. — Deixe ela entrar. É só mais uma pessoa.

— Sim, uma pessoa a mais não vai fazer diferença se tiver um incêndio — diz Preeta. — E Sunny é magra, e Jean-Luc e Vic também, então se somar os três, eles equivalem a somente duas pessoas.

Ele ergue as mãos.

— Não dá. Se a polícia passar aqui e contar as pessoas, fechariam a boate. — Ele se encolhe. — Eu não crio as normas. É uma questão de saúde e segurança.

As pessoas atrás de mim também não estão contentes. Elas murmuram, mas se afastam um pouco, como se soubessem que não têm chance, então fico sozinha encarando meus amigos tristemente do outro lado da porta.

— Por favor. Tenha compaixão — imploro.

131

Queria falar de um jeito lamentoso que mexesse com ele, mas termino choramingando com voz fanhosa.

— Não dá. Lamento mesmo.

— Sunny, entre que eu espero aqui — diz Emmeline.

Percebo o olhar de Charlie, como se nada, nem ver um show secreto do Duckie, fosse divertido sem a presença de Emmeline.

— Não faça isso. Você gosta mais do Duckie que eu — digo. — Se você se atrever a dar outro passo, nunca vou perdoá-la.

— *C'est bon.* Eu abro mão do meu lugar — diz Jean-Luc.

Nem sei se Jean-Luc já tinha ouvido falar do Duckie, mas não é justo ele ter de ficar ali fora depois que estraguei os planos que ele tinha para hoje.

Agora o rosto de Lucy desanima com a ideia de que vai perder a chance de convencer Jean-Luc de que não é uma superlésbica. Mas, sério mesmo, não acho que ela faz o tipo dele. Não sei quem faz seu tipo, mas uma pessoa que fica com o melhor amigo do irmão de Charlie, que tuíta fotos ridículas de toda refeição que faz, mesmo que seja só um pacote de Monster Munch, não é muito exigente. E Jean-Luc merece alguém que seja um pouco exigente.

— Sunny! *Allez! Allez!* Como se diz em inglês? Se mande logo pra cá.

Jean-Luc estala os dedos para mim, mas fico onde estou.

— Não, está tudo bem. Estou bem. — Não estou bem, mas tento ficar com o rosto tranquilo. — Sério, não tem problema. E a qualquer momento posso receber uma mensagem dizendo que Mark está, tipo, lá em Camden de novo com aquela *vagabunda* de short curtinho, e aí eu teria de ir embora de todo jeito.

O cara com a camiseta do Duckie parece estar perdendo a vontade de viver. Ou, assim espero, a vontade de não deixar que eu entre para ver o Duckie. Emmeline dá um tapinha no ombro do homem.

— Escutou isso? Ela está tendo uma noite péssima porque o namorado beijou uma vagabunda de short curtinho...

— Ah, Emmeline, não diga vagabunda — intromete-se Charlie seriamente. — Isso humilha todas as mulheres.

— Mas ela é a maior vagabunda — insiste Emmeline. — Mostre a foto pra ela, Sun.

Nunca mais quero ver a foto, mas destravo a tela, e o Senhor Saúde e Segurança suspira, mas se aproxima para conseguir ver quando eu ergo o celular.

— Esse é meu namorado beijando uma vagabunda de short curtinho quatro horas atrás. Meu namorado. E uma vagabunda. E já percorri metade de Londres tentando encontrá-lo, e agora você nem quer deixar que eu veja o Duckie. Eu jurei mais cedo que nenhum homem mandaria mais em mim, então por que está tentando mandar em mim? Meu Deus, odeio o patriarcado e tudo o que ele representa!

— Mas eu sou feminista. Não sou parte do problema, sou parte da solução. — Seus ombros se abaixam. — Isso não é nada justo. Nada disso é minha culpa, então vou virar de costas e, se você decidir entrar escondida enquanto eu não estiver olhando, apesar de eu ter dito que não pode, bem, isso fica entre você e Deus.

Então ele vira de costas para mim, e eu passo correndo pela porta. Nem sei se acredito em Deus, mas caso eu acredite, ele é muito benevolente e aceitaria totalmente o fato de eu ter entrado escondida num show do Duckie, violando diretamente as normas de segurança e saúde.

— Obrigada! Muito obrigada! — exclamo por cima do ombro, enquanto escuto a porta bater atrás de mim com um barulho metálico distinto e final.

O KitKat Club é do tamanho de minha sala de estar. Tem um bar que, na verdade, é uma mesa e uma lixeira cheia de gelo e garrafas de cerveja de um lado, e, do outro, uma plataforma que faz as vezes do palco. A boate está cheia de pessoas suadas. Se acontecesse um incêndio, ele se alastraria rapidamente, e todos nós pegaríamos fogo, independentemente das normas de segurança.

Mas seria uma maneira maravilhosa de pegar fogo. Enquanto os outros ainda estão se revezando para olhar o teto e dizer "Odeio o patriarcado e tudo que ele representa!", pois aparentemente minha convocação feminista foi hilária, escutamos o chiado agudo do feedback dos alto-falantes e vemos quatro pessoas subirem no palco, correndo.

— E aí, pessoal! — grita Molly Montgomery, cantora do Duckie e a mulher que Emmeline e eu adoraríamos ser quando crescêssemos. — Vamos fazer um show nota onze?

Todas as 51 pessoas gritam, concordando com o plano. Então a baterista ergue as baquetas e começa a batê-las numa tarola com um compasso 4/4 que acompanha a batida frenética do meu coração. Jane vai até o microfone, as luzes iluminam sua guitarra verde-água com glitter, e começa a fazer um belo barulho sair dela.

— Meu! Deus!

Se Emmeline e eu tivéssemos um tema musical, seria "Girls Together Only", e assim que escutamos as notas introdutórias, demos as mãos e corremos loucamente até o palco.

Todo mundo tem a mesma ideia, e não chegamos na frente, mas ficamos no meio de uma multidão de fãs do Duckie gritando e cantando, e Emmeline e eu ainda estamos de mãos dadas, eu ainda com minha vassoura, e rodopiamos sem parar, rindo e gritando, até precisarmos parar porque estou ficando tonta, e Emmeline grita que vai terminar se mijando se continuar.

É um set curto e parece passar inteiro em cinco minutos. Logo o Duckie está terminando com o cover de "I Can Do Without You", de *My Fair Lady*, e todo mundo solta um grito exultante:

— Se eles conseguem ficar sem você, Duckie, eu também consigo!

Molly afasta o cabelo encharcado do rosto. Mas ela não parece suada. Está reluzindo como se fosse composta inteiramente de rochas lunares.

— Ok, acabou. Não temos tempo para mais nada. Vamos tocar em Reading em aproximadamente 16 horas, e Jane precisa de seu sono da beleza.

Jane pega o microfone.

— E Molly é tão idosa que precisa dormir pelo menos oito horas por noite ou vira um monstro no dia seguinte.

Elas saem do palco de braços entrelaçados, mas fingindo bater uma na outra, e Emmeline e eu queremos continuar sendo amigas assim quando crescermos, mas agora eu me curvo e ponho as mãos nos joelhos porque senti uma pontada de tanto rir. Emmeline põe os braços nas minhas costas e tenta recobrar o fôlego.

— Você está bem? — pergunta ela finalmente após recobrar o fôlego, me puxando para que eu me levante. — Tipo, sério, como você está?

— Eu estou meio que zangada e triste, e zangada por ficar triste toda vez que penso em Mark, então praticamente parei de pensar em Mark e, assim que fiz isso, comecei a me divertir — digo a ela. Não confiro o celular há, pelo menos, 45 minutos; eu o pego, mas não tem nada. Nenhuma mensagem de Mark, e seu silêncio está gritando mil palavras para mim, então é impossível compreendê-las de verdade. Ninguém viu Mark também. Só recebi algumas mensagens de "vc tá bem, querida?". — Pois é, e agora que olhei meu celular, estou zangada, triste, zangada de novo, então vamos mudar de assunto, pode ser?

— Bem, não quero ignorar seu sofrimento, mas preciso muito fazer xixi — avisa Emmeline.

Parece que todas as outras 49 pessoas dentro do KitKat também estão esperando para usar o banheiro. Emmeline diz que está sofrendo loucamente e cruza as pernas enquanto esperamos. O esforço para controlar a bexiga faz seus olhos se cruzarem também, e, para distraí-la, conto sobre os caras do moletom, que tive de lidar com Jeane sozinha, que dancei o Charleston e conheci Shirelle e que, por fim, roubei as bicicletas da gangue.

— Você fez tudo isso? — pergunta Emmeline. Agora ela está no cubículo, e percebo o esforço em sua voz enquanto ela tenta puxar o short jeans pelas pernas suadas. — Não parece coisa sua.

— Pois é! — Ajeito o cabelo, que está murchando um pouco. — Quem diria que eu era capaz disso, né?

— Acho que devia continuar canalizando o que quer que tenha canalizado esta noite. — Emmeline destranca a porta do cubículo e fica parada, as bochechas vermelhas de tanto esforço necessário para um bom xixi. — Sério, fiquei preocupada, achando que você estava em casa chorando, e, em vez disso, estava se aventurando por aí.

— Acho que sim, não foi?

— Além disso, a gente precisa conversar sobre você e os Franceses. Normalmente, você não é assim com garotos. — Emmeline me olha nos olhos pelo espelho enquanto lava as mãos. — Se você fosse tão confiante com Mark quanto está sendo com Vic e Jean-Luc, ele não a trataria como lixo.

— Ele só me tratou como lixo hoje — protesto.

— Ele não trata você muito bem no resto do tempo. — Emmeline revira os olhos. — Cara! Ele foi para uma partida de polo no seu aniversário. Quem vai assistir a um jogo de polo? Ainda por cima no aniversário da namorada?

— Mas foi porque o avô é bem importante no mundo do polo — explico, assim como Mark tinha me explicado.

— É tradição familiar, Sun — disse ele. — Sempre fazemos um grande piquenique no jogo de abertura da temporada. Seria como perder o Natal. Eu correria o risco de ser excluído do testamento de meus avós.

Depois que ele explicou isso, não tive escolha e precisei esquecer o assunto, perdoá-lo, mas agora eu me pergunto se ele também não estava mentindo naquele dia — se ele não levou uma garota mais elegante, mais apropriada ao jogo, e a agarrou lá também.

Estou ficando furiosa de novo. O que dá uma coceira na palma de minhas mãos.

— Ah, não, precisa acabar com ele — diz uma garota que está esperando o banheiro, apesar de eu estar começando a concluir isso

136

sozinha. — Nunca namore um garoto que: a) vai a partidas de polo e b) foge no seu aniversário.

— É o fim da picada — afirma outra garota. — Tipo, ele é muito rico ou algo assim?

— Não — nego automaticamente apesar de toda a história do polo.

— Sim — diz Emmeline. Ela se vira para a nossa plateia. — Mas ele finge não ser, fica tentando falar com um sotaque mais pobre, é ridículo.

— Ele não é tão rico — insisto, apesar de não ser verdade, mas os erros de Mark estão ficando cada vez mais óbvios, o que não reflete muito bem em mim. — A mãe dele é rica, mas o pai não.

— Mas ele não deixa de ser um babaca — argumenta Emmeline.

Não posso discordar, e depois uma das garotas diz que estava saindo com um menino que ficou com outra garota *na cama dela* durante a festa de seu aniversário.

Então a outra garota diz que o ex-namorado pediu que ela lhe emprestasse cem libras, no dia seguinte lhe deu um pé na bunda e, depois, saiu do país.

— Os garotos dão muito trabalho, não vale a pena — digo. — Seria muito mais fácil se eles fossem mais como garotas.

Nós quatro paramos por um instante para refletir sobre o quanto os garotos são malvados, mas a porta se abre e uma multidão de garotas entra. Só são três, mas o banheiro é minúsculo, então parece uma multidão.

— Quem de vocês é Sunny? — pergunta uma loira mal-humorada.

Primeira regra da vida. Quando alguém mal-humorado perguntar por você, fique de bico calado. Olho para Emmeline, e ela já sabe disso, pois gesticula como se estivesse fechando um zíper na boca.

— Não conhecemos nenhuma Sunny — responde ela.

— É *ela* — diz uma das amigas da loira mal-humorada.

Ela me aponta, e depois a loira mal-humorada joga o drinque em mim.

Acontece em câmera lenta. Vejo um arco de cerveja vindo em minha direção e fico parada; como não está acontecendo realmente em câmera lenta, mas numa velocidade normal, o líquido cai bem no meu rosto. Bem nos olhos. No cabelo. Sinto o gosto na boca quando tusso, gotas de cerveja saem voando de minha boca, e minha camiseta listrada preta e branca agora está coberta de grudentas manchas marrons.

— O quê?

— Que foi isso, porra?

— Por que fez isso?

Emmeline e as duas garotas com quem estávamos conversando ficam furiosas e indignadas na hora, mas fico parada tentando não chorar, e me perguntando o que diabos eu fiz para que alguém que nem conheço jogasse bebida em mim.

— Se tem alguém aqui que é uma vagabunda de short, é *ela* — diz a loira mal-humorada.

Emmeline avança no rosto mal-humorado em um segundo.

— Ela não é uma vagabunda, e vou te matar em menos de um minuto. — A garota nitidamente engole em seco e recua um passo. Às vezes, eu me esqueço do quanto Emmeline é grande, confiante e assustadora para pessoas que não a conhecem desde os 7 anos. — Qual é o problema, sua vaca?

Nossas novas duas amigas fugiram, e agora sobramos apenas eu, Emmeline e as três garotas. As duas outras ladeiam a amiga mal-humorada e olham Emmeline como se estivessem se perguntando se conseguiriam acabar com ela. Não conseguiriam. Emmeline *destruiria* as duas.

— Nem sei quem você é. — Encontro minha voz. Que está muito estridente. — Por que acha que tem o direito de...

Mal-humorada se afasta de Emmeline para se esconder atrás das amigas, que estão paradas, de braços cruzados, com um olhar intenso e determinado.

— Tabitha é minha melhor amiga, então eu tenho o direito de lidar com uma cadela *vagabunda* que teve a coragem de dizer para todo mundo que Tab é uma *vagabunda* só porque usa short. Tipo, o quê? Estamos no verão, né? Especialmente quando essa mesma cadela *vagabunda* está tentando ficar com o namorado de Tab.

— Nem conheço nenhuma Tabitha. — Puxo minha camiseta úmida. — Talvez da próxima vez você devesse pedir a identidade da pessoa antes de jogar cerveja nela.

— Você é Sunny. Sei exatamente quem é, porque, quando fui para Camden encontrar Mark mais cedo, uma garota chamada Martha sugeriu que você estava ficando com Mark. — Mal-humorada revira os olhos como se fosse o maior absurdo que já escutou. — Ela até mostrou uma foto no celular de você e Mark num churrasco enquanto Tab estava no banheiro. Tipo, você e ele estarem no mesmo lugar ao mesmo tempo não prova nada. — Ela para e inspira pela boca. — E depois meus outros amigos estavam lá fora, mas não conseguiram entrar, e eles ouviram você chamar Tab de vagabunda. Várias vezes. Apesar de você ser a vagabunda que tenta ficar com o namorado das outras. Então eu tenho, sim, o direito de jogar cerveja em você, sua *vaca*.

Estou zangada de novo. A tristeza não está falando tão alto. Parto para cima dela, com a certeza de que estou com uma expressão assassina no rosto molhado.

— É verdade, sua vaca? Porque, se quer começar uma briga, eu termino. — Estendo os braços e a chamo com os dedos, meio que dizendo "pode tentar, se acha que é tão durona assim". — Venha, eu desafio você! Pode dar seu melhor golpe, sua *vaca*.

Ela desvia o olhar para a porta, mas tem de passar por mim para chegar até ela. Mal-humorada lambe os lábios. Está com medo, e eu não estou surpresa, pois estou com medo de mim mesma. Toda essa raiva. Não sei de onde está vindo. Talvez ela sempre tenha existido, zunindo, borbulhando em minhas veias, e acho que a contive porque não queria ser a garota negra e zangada.

— Vou acabar com você — diz ela.

Porém, ela é aristocrata demais para que eu acredite nisso, e decido que eu seria capaz de bater nela. Só uma vez. Porque ela merece muito e cansei de ser tratada como lixo por pessoas que acham que sou uma trouxa sem coragem. Ergo a mão, de verdade.

— Ok. Tá certo. Ninguém vai acabar com ninguém aqui. — Emmeline abre espaço e fica entre mim e a Loira Mal-Humorada e Carrancuda. — Acabou isso de vagabunda e vaca. Uma pausa, senhoritas. Uma maldita pausa. Qual é seu nome, hein?

A garota diz, zangada, que se chama Flick, pois garotas ricas sempre têm nomes ridículos, e eu bufo igual a Jean-Luc, então Emmeline diz que eu devia lavar o rosto.

Preciso passar papel higiênico molhado na cara para que não fique mais grudenta, e o que tinha sobrado da maquiagem também sai, então minha pele fica nua e ressecada. Como se eu estivesse chorando há séculos, o que não fiz, mas sinto como se tivesse.

— Não sei quem morreu e a transformou em chefe do mundo inteiro — digo para Emmeline.

— Pois é. Você é tão hostil — diz Flick.

Porém, não estou pronta para criar uma ligação com ela só porque nós duas achamos minha melhor amiga mandona. Então eu a encaro, tentando não piscar, até Emmeline me acotovelar.

— É o seguinte: Martha, que precisa mesmo parar de se meter nas vidas dos outros, não estava *sugerindo* merda nenhuma. Mark é o namorado de Sunny, não de sua amiga Tabitha — explica Emmeline sensatamente, apesar de não haver sensatez alguma aqui. — Vocês estão juntos desde o Natal, não é?

— Desde a noite das fogueiras, na verdade.

Pois foi a noite em que nos beijamos pela primeira vez. Iluminados por estrelinhas, rodas de Catarina e velas romanas. E depois meus lábios ficaram doloridos e minha garganta doía por causa da fumaça da fogueira. Porém, o que eu mais me lembro é do beijo e de Mark puxando minhas luvas de lã para poder segurar minha mão enquanto me acompanhava até minha casa. Nós nos beijamos de novo na esquina de minha rua e combinamos de nos encontrar, em vez de eu ficar passando meu tempo livre em lugares onde achava que Mark poderia estar.

140

Engraçado que eu não achava errado nem desesperado ter um plano naquela época — afinal, o plano funcionou, mas agora me contraio ao perceber o quanto fui boba.

— Sério? — Flick pelo jeito não acreditou em nada. — Pois Tab está com ele desde a Páscoa, e eles ficaram várias vezes antes disso. Não estou inventado! — acrescenta ela, irritada, quando reviro os olhos. — Até no Facebook diz que eles estão namorando.

— Bem, isso é engraçado porque no Facebook de Mark diz que ele e eu estamos namorando.

Pego o celular, e ela pega o dela, e suas amigas e Emmeline se agrupam ao nosso redor, e eu penso meu Deus, se Mark tiver mudado o status de relacionamento esta noite porque sabe que descobri tudo e quer fazer isso primeiro, aquela vagabunda, sua amiga mal-humorada, Flick, e as outras amigas ricas vão achar que sou uma louca patética que está perseguindo Mark, e eu vou chorar. Depois vou me trancar no banheiro e nunca mais vou sair de lá.

Fico esperando o Facebook carregar. Mal consigo engolir — toda a umidade desapareceu de minha boca de repente e nem consigo falar enquanto vejo o famoso cabeçalho azul. Depois, com os dedos desajeitados porque toda a umidade da boca migrou para as pontas dos dedos, e é difícil usar uma tela *touchscreen* com suor na mão, abro o perfil de Mark.

O alívio quase faz minhas pernas cederem.

— Aqui! — digo, e empurro o celular no rosto de Flick. — Em um relacionamento sério com Sunshine Williams. Está satisfeita?

— Não, não estou — rebate ela, e enfia o celular no meu rosto. — Esta não é a página do Facebook de Mark. *Esta* é a página do Facebook de Mark.

Não choro, o que é um milagre. Na verdade, eu meio que quero rir, mas tudo que sai é um barulho estranho, como um estertor da morte. Meus piores medos, que eu estava evitando a noite inteira, eram verdade, e fico triste de novo. Tão triste. Muito triste, porra. E também acho que vou vomitar.

Meu queixo cai, desmorona, e Flick põe o braço ao meu redor, e suas duas amigas dizem que jamais gostaram de Mark mesmo.

— Ele tem alguma coisa estranha, não é? Ele sempre foi um pouco desonesto, e a gente o conhece desde a escola preparatória.

— Meu Deus — digo, com os olhos ardendo. As palavras nem querem sair. — Sou tão idiota. Esse tempo inteiro...

Emmeline afasta Flick de mim, pois é minha melhor amiga e tem o direito de me abraçar primeiro. A gravidade da situação é tanta que até Emmeline, que não é de abraçar os outros, está abraçando.

— Sunny, nem se atreva a culpar você mesma.

— Pois é! Você não é idiota. Ele que é! É Mark! — exclama Flick. Ela olha minha camiseta manchada de cerveja. — Olha, cara, me desculpe mesmo por ter jogado a cerveja em você. Eu estava apenas defendendo minha amiga.

— Não tem problema — digo, pois essa parte não tem problema mesmo. É a situação com Mark que vai continuar sendo um problema até eu resolvê-la. — E me desculpe por ter chamado sua amiga de vagabunda. Meu Deus, preciso mesmo parar de chamar as pessoas de vagabundas.

— Vou mandar uma mensagem para Tab — decide Flick. — Dizer o que está realmente acontecendo. Ela está com Mark agora, apesar de amar o Duckie. Ele disse que era apenas música barulhenta de garotas, e ela chorou.

Ela compartilha um olhar exasperado e sofrido com as duas amigas, Chessie e Santa.

— Desde que começou a sair com Mark, Tab deixou de ser divertida.

— Não vou dizer nada. Nem um pio — diz Emmeline, mas também me lança um olhar exasperado. — É que você é muito mais divertida quando está sem Mark, tipo bem mais, infinitamente mais, puxa. Ele suga todo o seu lado divertido.

— Pois é. Ele é o maior sugador de diversão — reforça Flick baixinho.

Depois ela me diz que vai comprar uma camiseta nova pra mim na barraca de produtos da banda para que eu não precise passar o resto da noite com uma camiseta manchada de cerveja.

Saímos do banheiro e, apesar do Duckie ter parado de tocar há bastante tempo, tem pessoas totalmente despreocupadas se acabando na pista de dança enquanto o DJ toca algo barulhento, acelerado e estridente.

Demoramos cinco segundos para perceber que não há nenhuma barraca de produtos.

— Estou com uma regata por baixo, então, tipo, posso dar minha blusa pra você sem nenhum problema — diz Flick, com sinceridade (agora que não está sendo mal-humorada, ela parece muito sincera e zelosa). — Sério, não é nada de mais.

Flick está com uma blusa preta soltinha que deve custar muito dinheiro em uma loja muito chique. Além disso, ela é pequena e delicada, como se só comesse ovos de codorna e caviar, então nem sei se minha cabeça passaria pelo buraco do pescoço, quanto mais o resto do meu corpo.

— Não, não tem problema — digo.

Mas olho para minha camiseta estragada e, por algum motivo idiota, sinto vontade de chorar de novo.

Não faz sentido algum. E então eu vejo Jeane vindo em nossa direção e isso também me faz ter vontade de chorar.

— Aí estão vocês! — grita ela, como se estivesse procurando a gente há anos. — Emmeline, adorei seu cabelo. Quando cortou a franja? Flick, Santa, Chessie, vocês ainda estão adotando a estética de *Downton Abbey* com Riot Grrrl, pelo que vejo.

Não apenas Jeane conhece todo mundo, mas ela também tem fortes opiniões sobre o que cada um está vestindo.

— E Sunny, a garota do momento! Sério, vocês precisam de todo esse tempo para fazer xixi? O que estavam fazendo lá dentro? E você ainda está com a vassoura.

— Bem, a gente estava fazendo coisas. Pelo jeito, Mark e...

143

— Ah, que seja! Não aguento mais ouvir falar nele. Mark é tão sem graça. Sobre o que vocês dois conversavam, hein?

Jeane nem espera minha resposta (só para constar, Mark e eu conversávamos sobre muitas coisas, mas admito que nas últimas semanas foi mais sobre quando eu estaria pronta para transar com ele); agarra minha mão e me arrasta pela boate, e as outras nos seguem. Apesar de ser pequena, ela é muito forte, parece um pequeno pônei atarracado. Está segurando meu pulso com muita força, nós passamos pelo bar improvisado e chegamos a um sofá de canto onde Jean-Luc, Vic e duas outras garotas estão encarando um iPad.

— Sunny! Você viralizou! — O olhar de Vic desliza depressa por mim e depois para em alguém nitidamente bem mais agradável aos seus olhos. — Emmeline, está ainda mais linda que antes. Continua sendo gay?

— Na verdade, estou até mais gay. — A alegria de Emmeline faz suas palavras borbulharem. — Acho que meu nível de gayzice nunca esteve tão alto.

Estamos fugindo mesmo do assunto.

— Esquece isso. Eu *o quê*?

— Viralizou!

Eles me entregam o iPad. Mostra um vídeo do YouTube pausado. Tem o borrão de uma imagem congelada na tela. Pressiono o dedo na seta do play, e o borrão se transforma em uma garota dançando no corredor de uma loja de conveniência; pernas chutando e se movendo rapidamente, pés sapateando e deslizando, braços rodopiando. Tem até mãos de jazz, mas elas são permitidas quando se está dançando Charleston. São meio que obrigatórias.

— Caramba, Sunny, você nunca dançava assim nas aulas de dança — disse Emmeline. — Mal foi aprovada no terceiro nível do sapateado.

É como se eu estivesse vendo uma garota que se parece comigo, que se veste como eu, mas que, diferentemente de mim, tem toda a confiança para se jogar no ar e voltar para o chão onde quiser, e depois continuar dançando com um enorme sorriso.

É uma garota que está mandando bem.

Ninguém se atreveria a aprontar com uma garota dessas.

E eu *sou* essa garota e cansei de ver pessoas aprontando comigo.

Hoje vou mandar nas ruas.

Hoje vou correr riscos sem restrições.

Hoje vou jogar fora namorados malvados, falsos e traidores.

— Você dança muito bem — diz Flick. — Não sabia que era dançarina.

— Não sou... — Ainda não consegui parar de ver essa outra Sunny, e é só quando ela para de dançar e volta para a multidão é que encaro zangadamente Jeane, que vê a expressão no meu rosto e se esconde atrás de Jean-Luc. — Então quem permitiu que você filmasse isso, Jeane? Pois certamente não fui eu.

Jeane olha para mim de trás do ombro de Jean-Luc. Ele sacode seus ombros.

— Eu não filmei. Foi Frank que filmou.

— Está no seu canal do YouTube! Não assinei nenhuma autorização de uso de imagem.

— Só estou dando ao público o que ele quer — argumenta Jeane. — Está no ar há uma hora e já teve mais de mil visualizações.

Não sei o que sinto em relação a isso. Acho que nauseada. Mil pessoas que eu não conheço olhando para mim. Vendo como minhas coxas balançam quando faço o *quick-step*. Me julgando.

Rolo a tela até os comentários. "Eu pegaria essa aí!", "Argh, que exibida!", "Caramba! Que popozão". Preciso acabar com isso.

Mas Jeane não quer cooperar. Ela começa a fazer um discurso extravagante, com muitos gestos dramáticos, sobre domínio público e sobre como na era da mídia todos devem esperar ver a própria imagem espalhada por toda a internet. Além disso, lá no fundo, bem no fundo, todo mundo deseja ser famoso.

— A lei está do meu lado — conclui Jeane finalmente. — Enfim, por que você não quer ver sua dança no YouTube? É tudo tão incrível.

— *Muito* incrível — sussurra Flick pra mim.

Lá se vai minha ideia de mandar nas ruas.

— Pelo menos, desative os comentários.

— Primeira regra da vida, Sunny: nunca leia a metade inferior da internet — diz Jeane pomposamente.

— Não quero um monte de pervertidos me pervertendo. Desative os comentários agora — resmungo, e alguma coisa sibila em minha garganta quando faço isso. — Não sou uma bolha inanimada em forma de garota com quem as pessoas podem fazer o que quiser, independentemente dos meus sentimentos.

— Imagino que esteja falando de Mark novamente. — Jeane suspira. — Tá bom, vou desativar os comentários. — Ela pega de novo o iPad, como se não confiasse em mim. — Está contente agora?

Não. Não estou. Nem um pouco. Toda a alegria de ter visto o Duckie foi embora assim que a cerveja caiu no meu rosto e tudo que aconteceu depois foi, bem... foi...

— Ah, Sunny, *tu es si triste. Qu'est ce qui s'est passé?* — Estou perto o suficiente de Jean-Luc para que ele estenda o braço e erga meu queixo com um dedo cuidadoso. — Parece que estava chorando. Não é só por causa do vídeo, *non?*

— *Non* — concordo.

Meus olhos ardem de novo, e eu tento abri-los bem, mas não consigo.

Emmeline me dá mais um abraço lateral relutante.

— Sunny, ele não merece uma única lágrima.

— Eu sei. — Jogo a cabeça para trás, banindo a ameaça das lágrimas. — Cansei de chorar por causa daquele babaca. Ele que vai chorar quando eu acabar com ele. E depois vou tomar suas lágrimas e roubar todas as suas forças.

Ela me encara.

— Você está bem, Sun?

— Nunca estive melhor — digo.

Quando abro um enorme sorriso, Emmeline se afasta e Flick me olha com medo. É a primeira vez que alguém me olha com medo, tirando a vez já mencionada em que peguei norovírus e o colégio me mandou voltar para casa. Teve um momento em que eu estava a segundos de explodir nas duas extremidades e minha mãe não conseguia encontrar a chave de casa. Foi maravilhoso, cara.

— Me desculpe mesmo por ter jogado minha bebida em você — diz Flick.

Depois ela conta de novo tudo que aconteceu para Jeane e as duas garotas com quem está.

Enquanto isso, Vic me dá um gole de sua água e me diz que ele jamais trairia uma garota.

— Eu posso até não ser muito bom nisso de manter contato, mas eu não traio — garante ele.

Eu zombo, e Jean-Luc solta um dos seus bufos típicos, e Flick *ainda* está falando sobre as duas páginas do Facebook e:

— Mandei uma mensagem para Tab, não quis ligar, caso ela ainda estivesse com Mark, mas ela não respondeu e acho que vamos precisar fazer uma intervenção. Além disso, Molly, não imagino que você tenha uma camiseta do Duckie sobrando; eu pago, mas a camiseta de Sunny está bem nojenta e, meu Deus, eu ficaria *morrendo de vergonha* se vocês me vissem usando uma camiseta nojenta. Sou a maior fã de vocês. Sou *muito*, muito fã.

Estava prestes a informar Vic que agora adotei uma política de tolerância zero com garotos que tratam garotas mal, mas isso pode esperar. Eu me viro tão rapidamente que quase machuco o pescoço. Quero ver as duas garotas com quem Vic, Jean-Luc e Jeane estão conversando.

Olho para Emmeline para ver se ela percebeu, e ela percebeu sim, pois está boquiaberta e com um olhar perplexo, igual a quando ela passa uma hora inteira na internet vendo vídeos de gatinhos usando roupas.

— Estou com medo de olhar — sussurra ela.

Emmeline não tem medo de nada. Ela joga *roller derby*, pô.

— Você precisa fechar a boca — sussurro de volta.

Nem acredito que isso está acontecendo.

Mas está. Está mesmo. São Molly e Jane, do Duckie, ambas usando vestidos de tecido prateado com pequenos foguetes vermelhos. O cabelo castanho de Molly está trançado e preso em duas espirais da Princesa Leia acima das orelhas, e Jane tem o cabelo curtinho e ralo de um tom loiro platinado, bem mais platinado e loiro que o de Emmeline. Elas estão lindas. Também estão um pouco hesitantes porque Flick continua falando com sua voz sincera, rica e inexpressiva. Meu Deus, como ela fala.

— E eu estava tipo totalmente furiosa porque ia ter de passar o aniversário de minha mãe em Paris, mas depois descobri que o Duckie ia tocar numa boate em Saint-Germain-des-Prés e deixei de ir no jantar de aniversário para ver vocês tocarem. Ela ficou furiosa, mas não era tipo nenhum aniversário importante. Ela só estava fazendo 47 ou 48 anos, ou algo assim, então, tipo, dá no mesmo. Enfim, onde eu estava? Ah, sim, Mark. Coitada da Sunny. Quando minha irmã terminou com o namorado, minha mãe mandou ela consultar um terapeuta especialista em luto. Posso pegar o número pra você.

Flick faz uma pausa para respirar, e eu preciso obrigá-la a parar, caso contrário nós todos estamos condenados a escutar mais desse surto de fã sincero e educado. Além disso, vou me lembrar desse encontro por anos, e, quando eu for uma velhinha grisalha, não quero contar para meus netos: "então, já contei pra vocês de quando conheci Jane e Molly, do Duckie, e todo mundo só falava da traição do meu primeiro namorado?".

— Eu já esqueci Mark — digo rapidamente, porque Flick abre a boca de novo, como se estivesse pronta para o segundo round.

— Cansei de pensar que não sou tão importante e que as pessoas podem achar isso. Cansei. Sou forte e poderosa, e acredito em mim mesma.

Calo a boca porque Emmeline faz um movimento rápido e estranho com os olhos, como se soubesse que, se ela não me obrigar a parar de falar naquele momento, vou ficar tagarelando sem parar.

É tarde demais.

— É como RuPaul diz, se não consegue amar você mesma, então *como* vai amar outra pessoa?

Emmeline segura minha mão.

— Meu Deus — choraminga ela para mim. — Primeiro, Flick, agora, você. Por favor, pare de falar.

— Cadê o amém do pessoal? — diz Molly Montgomery, do Duckie, fazendo uma imitação péssima do RuPaul.

Jane, Emmeline e eu erguemos as mãos e gritamos:

— Amém!

Como não faríamos isso? E se alguém conhece uma maneira melhor de se tornar amiga de sua ídola número um, por favor, me conte.

— É melhor mesmo você se livrar desse tal de Mark — aconselha Molly, abrindo um grande sorriso. — E se precisar de uma maneira rápida de esquecê-lo, eu acho catártico escrever músicas cheias de gritos sobre namorados tóxicos.

— Pois é! Babaca rima com um monte de coisas — acrescenta Jane. — Uma vez, rimamos com jaca.

— Ou "você me enoja, caraca" — sugiro. — Me desculpem, estou meio mal-humorada.

— Para ser honesta, Sunny, as garotas nunca deviam se desculpar por assumirem o que estão sentindo — diz Jeane, e disso ela entende pois nunca pediu desculpas por nada na vida. — Mesmo que seus sentimentos estejam relacionados a Mark.

Sou poupada de elaborar uma resposta esperta que não me faça sentir a maior vaca na frente de Jane e Molly, pois Flick recebe uma mensagem de Tab.

— É um monte de emojis. — Ela semicerra os olhos na direção da tela. — Três carinhas zangadas. Um revólver. Uma bomba. Um martelo. Acho que ela não está aceitando muito bem.

O celular de Flick faz outro barulho.

— É Tab de novo — murmura ela, olhando a tela. — Ah. Ah! Meu Deus, como ele se atreve, hein? Ela disse que Mark negou tudo e depois lhe deu um pé na bunda.

Ela ergue o celular, eu semicerro os olhos e vejo as palavras. Pé na bunda. Nove letras que atingem bem meu plexo solar. Se meu plexo solar ficar bem no meio da barriga, o que tenho quase certeza de que é verdade.

Passei a noite inteira tratando essa Tabitha como uma vagabunda anônima de short curto, quando, na verdade, somos irmãs. Fomos unidas pela traição. E estamos ligadas porque nós duas conhecemos o toque das mãos de Mark, seus lábios, e escutamos ele dizer que éramos a única garota do mundo.

— Não acredito! — digo, chocada. — Acho melhor ele não ter feito isso. Ele não tem o direito de dar um pé na bunda dela. Não quando a estava traindo. Traindo nós duas. É a gente que dá o pé na bunda. É tipo uma questão de educação. Meu Deus, vou dar o maior pé na bunda da vida dele. Mark vai ser destruído!

— Isso aí! — Jane une as mãos. — Encontre esse tal de Mark e faça ele se arrepender de ter nascido.

— Bem, a gente ia se encontrar numa boate em Mayfair — diz Flick. Ela me olha, como se eu fosse um item que ela não vai passar no caixa do autoatendimento. — É melhor eu ir logo. Para distraí-la. Vou dizer a Tab que você é gente boa e que topa fazer Mark se arrepender de ter nascido. Mas é que essa boate só aceita membros.

— Só membros! Que nada! — Coloco as mãos nos quadris. — É melhor eles deixarem eu entrar, senão também vão se arrepender de terem nascido.

Não sabia quem eram "eles", mas, se alguma pessoa tentar me impedir de brigar cara a cara com Mark, vai se arrepender.

— São *esses* os sentimentos que você devia estar assumindo — diz Jeane.

Vic promete que, se necessário, vamos arrombar a porta, como um lutador de MMA; Jean-Luc diz que vai criar uma distração falando bem alto com eles em francês e com muitos gestos; e Molly decide que podemos pegar uma carona na van do Duckie se sairmos agora.

Apenas Emmeline parece atipicamente relutante com a vingança, o que é irônico, pois ela jamais gostou de Mark pra começo de conversa.

— Ah, é? Você quer acabar com Mark esta noite então. Tipo, agora? — pergunta ela, franzindo a testa. — Porque eu queria que a gente fosse pra casa e acabasse com ele amanhã. É que são quase três horas, estou cansada e não coloquei meias... meus calcanhares estão me incomodando muito.

Ela está muito reclamona. Na verdade, está parecendo comigo, é como se a gente tivesse trocado de corpos num acidente cósmico feito o de *Sexta-feira Muito Louca*.

— Vamos, Em! Cadê seu espírito de luta? — Pego uma de suas mãos relaxadas para animá-la, mas é como se eu estivesse segurando um peixe morto. — Eu tenho protetores para bolhas dos pés, e você pode dormir quando estiver morta.

Emmeline suspira.

— Tá bom, mas se um ônibus noturno para Crouch End de repente se materializar na minha frente, tudo pode mudar.

O QUE DIABOS ESTOU FAZENDO NA MINHA NOITE DE SÁBADO?

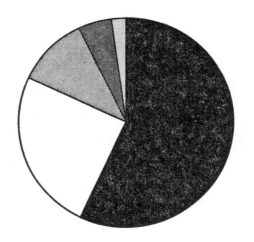

57% **Incorporando Inigo Montoya, de *A Princesa Prometida***

25% **Assumindo meus sentimentos**

11% **Tendo um chilique de fã por causa do Duckie**

5% **Cuidando da vassoura**

2% **Meio que precisando fazer xixi, para ser sincera**

2h53

MAYFAIR

Uma das áreas mais ricas de Londres, e um dos lugares mais caros do Banco Imobiliário, Mayfair tem este nome devido à feira anual que era realizada na região, durante duas semanas de maio, desde o século XVII.

Boa parte do local pertencia à família Grosvernor (mais rica que Deus), que propiciou seu crescimento no meio do século XVII, e a quem o ducado de Westminster foi concedido, o que foi legal para eles. Logo Mayfair se tornou o distrito mais elegante de Londres, e era o refúgio do rei dos janotas, Beau Brummel, famoso por seus cachecóis sofisticados, que costumava sentar na janela do clube de cavalheiros Whites, julgando as roupas dos amigos que passavam. Ele era meio como a Sidebar of Shame do período da Regência.

Entre os moradores famosos de Mayfair se encontram vários primeiros-ministros, incluindo Sir Winston Churchill, o compositor George Frideric Handel e as duas maiores Madges que já existiram: Madonna e Sua Majestade, a Rainha, que nasceu numa casa em Bruton Street.

É tão incrível que quase não compreendo. Estou com uma camiseta extra de Molly Montgomery. Uma camiseta que Molly Montgomery comprou e usou. É amarela com grandes letras pretas: UMA CI-DADE CONSTRUÍDA PELO ROCK'N'ROLL É ESTRUTURAL-MENTE INSTÁVEL.

Se isso não fosse suficiente, mais que suficiente, Molly me deu seu endereço em Brighton para eu devolver a camiseta pelos correios.

— Tenho certeza de que você não é uma stalker — disse ela, mostrando o quanto não me conhece.

Estou espremida nos fundos da van do Duckie, com as quatro meninas da banda, Emmeline, Charlie, Vic e Jean-Luc. Preeta e Lucy pediram para ir embora e pegaram um ônibus enquanto Emmeline e Charlie observavam as duas. Flick e suas amigas tinham planejado nos acompanhar, mas, quando Jane abriu as portas da van e o cheiro de cerveja velha e chulé saiu, elas desistiram.

— Na verdade, não tem tanto espaço, é melhor a gente pegar um bom táxi preto — disse Flick.

Porém, ela me prometeu pela vida de seu pônei, Melisande, que me mandaria uma mensagem depois que falasse com Tabitha e descobrisse a localização de Mark.

Quando passamos por Piccadilly Circus, não demoramos muito para dar a volta nas ruas minúsculas e sinuosas paralelas a ela, e passei o tempo inteiro cerrando os punhos e pensando no que vou fazer com Mark. Devo começar gritando: "Ei! Quero falar com você!". E depois eu improviso. Posso até improvisar *na cara* dele, mas Emmeline diz que violência só é resposta num jogo de *roller derby*.

Agora, no entanto, Emmeline parece estar repensando a própria filosofia. Seus olhos prometem uma morte causada por uma dor inimaginável enquanto Vic gesticula para ela e Charlie, e diz:

— Vocês duas, é? Estão juntas ou é só uma fase?

— Bem, então, primeiro de tudo, identidade sexual é um conceito fluido e não um ponto fixo num gráfico, e, em segundo lugar, não é de sua maldita conta — responde Charlie. Ela gesticula para Vic e Jean--Luc. — Enfim, e vocês? Estão juntos ou é só uma fase?

— Somos primos — esclarece Vic, enquanto Jean-Luc balança a cabeça e suspira, provavelmente se perguntando porque saiu de Paris.

— E, se eu fosse gay, ele não faria meu tipo. Muito temperamental, muito magricela, não é bonito o suficiente.

— Sou mais bonito que você — murmura Jean-Luc.

Mas tecnicamente não sei se ele é. Se existisse uma escala de beleza, Vic provavelmente receberia uma pontuação mais alta que Jean-Luc. Quando Vic sorri, seus olhos ganham vida e seu rosto inteiro se transforma em algo encantador e acolhedor. Jean-Luc quase nunca sorri.

Amanhã, Emmeline e eu precisamos nos sentar e conversar sobre qual Godard é mais gato, objetivamente falando.

— Se é tão bonito, por que não ficou com nenhuma garota desde que chegou a St. Pancras? — Vic balança o dedo para Jean-Luc. — Ou será que a única coisa que te dá tesão é fazer tortinhas?

— *Casse-toi!* — diz Jean-Luc sem muita intensidade. E depois sorri. Não, não é tão bonito quanto o sorriso de Vic, mas tem algo de malicioso no sorriso, então é bem mais divertido. — Ah, Jane, queria perguntar uma coisa, você e Vic namoraram por quanto tempo?

— O quê? — Jane está sentada na frente, mas se vira. — Eu e Vic? Algo se perdeu na tradução?

— Vic disse que...

Vic cobre a boca de Jean-Luc com a mão para que ele não consiga falar.

— Ignore-o. O inglês dele não é muito bom.

Jane faz uma careta.

— Eu diria que o inglês dele é excelente.

— Para ser sincero, Jane, ele não bate muito bem da cabeça. Seu lado da família tem muitos casamentos consanguíneos e... ai! Tire a mão do meu rosto!

Mesmo sentados dentro de um veículo em movimento, Vic e Jean-Luc estão se empurrando.

— Na verdade, isso é bem sensual — murmura Charlie para Emmeline. — Com os ternos e tal.

157

— Hum. Pois é. E o cabelo e os palavrões em francês. Pelo menos eu acho que são palavrões.

— Então, Jane, Vic diz que você e ele se conhecem há muito, muito, *muito* tempo — digo lá de trás, sentada perto de uma caixa de roda com um case de guitarra pressionando meus rins. — Mas um cavalheiro nunca se gaba, apesar de ele não ser nenhum cavalheiro.

Jane mostra os dentes.

— É, acho que a gente se conhece há muito tempo, desde que o vi pela primeira vez quando o contratei para fazer meu bolo de casamento. Foi um bolo delicioso, mas depois ele tentou ficar com minha tia Cheryl na festa. — Ela joga a cabeça para trás, e a única palavra que descreve o som que sai de sua boca é gargalhada. Ou talvez três palavras: a maior gargalhada. — Tio Ron não gostou muito, né, Vic?

Vic consegue bater na mão de Jean-Luc para afastá-la.

— Não é culpa minha. *Ma chère* Cheryl é muito gata para a idade.

— Seu galinha safado — murmura Emmeline.

Todos ficam chocados com o que Emmeline disse, depois Molly começa a rir, e eu ainda estou rindo quando a gente desce da van na frente do Ritz.

Minha avó promete que vai me levar para tomar um chá da tarde no Ritz desde que eu me lembro. Que a gente vai vestir roupas antigas e fazer tudo direito, mas toda vez que ela vem para a cidade, terminamos passando horas na loja John Lewis para ela comprar coisas entediantes como lã para bordado e armadilhas para traças, então nunca aconteceu.

Nem vai acontecer esta noite. Nós nos juntamos numa esquina e todos olham para mim ansiosamente.

— Então, qual é o plano? — pergunta Charlie. — Vamos só ficar esperando a mensagem de Flick?

Era esse o plano, mas com Charlie falando daquele jeito, ele parece muito ruim. Além disso, não estou a fim de ficar esperando. Estou a fim de agir. De fazer algo, não de perambular pelas ruas.

— Por que está fazendo essa dancinha engraçada? — pergunta Vic.

Percebo que estou mudando de um pé para o outro, e, meu Deus, contorcendo o rosto e fazendo barulhos ofegantes, como se eu fosse uma das mulheres grávidas de *Um Bebê por Minuto* na reta final. Eu estou fazendo...

— A dança do xixi! — exclama Emmeline.

Ela poderia ter sido mais discreta, por mais que esteja certa. Emmeline já viu minha dança do xixi antes. Muitas e muitas vezes.

Ignoro Emmeline e dou uma olhada por Piccadilly na esperança de que haja um Burger King ou McDonald's ainda aberto, para poder comprar a coisa mais barata do menu, depois sair correndo e aliviar minha agonia. Sim, já estou quase no nível da agonia.

— O que é a dança do xixi? — pergunta Jean-Luc. — É uma coisa inglesa?

— Eu preciso fazer xixi, tá? — Não tenho tempo de disfarçar, de dizer que preciso retocar a maquiagem ou jogar água gelada no rosto. Preciso de um banheiro e preciso para agora. Para ontem. — Meu Deus, preciso muito fazer xixi!

Já estou andando rápido. Sinto o líquido balançando na bexiga. É muito desconfortável.

— Mas por que não foi antes? Passou séculos no banheiro — pergunta Charlie, de um jeito acusador, enquanto os outros me alcançam. — O que estava fazendo?

— Estava tomando um banho de cerveja.

— Não estou surpreso — diz Vic. — O refrigerante que você tomou na lanchonete era maior que sua cabeça.

— Pois é, valeu por me lembrar.

Estamos nos afastando cada vez mais de Piccadilly Circus enquanto procuro desesperadamente os brilhantes arcos dourados; um sinal de esperança para a coitada de minha bexiga.

— Por que não tem um McDonald's por perto quando preciso?

— Tem sim. Estamos indo na direção errada. Fica perto da estação. — Jean-Luc olha o celular. — Ah, *tant pis*, está fechado.

Vou ter de fazer o impensável. Procuro um beco ao meu redor. Melhor ainda, um pequeno beco dentro de um pequeno beco, para que eu possa urinar na rua, como alguém totalmente louco após uma noite de bebedeira. Não dá cadeia urinar em público? E a gente passou por muitas coisas juntos, mas não conheço Jean-Luc e Vic *tão* bem, e eles se vestem impecavelmente e não quero que pensem que sou o tipo de pessoa que faz xixi na rua toda vez que a vontade bate.

Percebo que Emmeline está pensando a mesma coisa, pois ela também olha ao redor e depois me diz:

— Vamos dar uma voltinha, Sun? Pra ver se achamos, hum, um banheiro público que ninguém conheça.

Ela faz aspas nas palavras "banheiro público", para que eu saiba que ela, na verdade, está dizendo que a gente precisa encontrar algum lugar, qualquer lugar, para eu fazer xixi, que vai me proteger durante minha escapulida da vergonha, e depois nunca mais falaremos disso.

Porém, Charlie balança a cabeça.

— Bem, não vai ter nenhum banheiro público aberto, né? Todos vão estar fechados.

Sei que Emmeline gosta de Charlie, mas ela realmente está começando a me irritar com todos esses nãos. Fecho os olhos e contraio todos os músculos que tenho. Meu Deus, ou faço xixi na rua ou vou terminar fazendo xixi em mim mesma. Qual é a opção menos ruim? Não consigo decidir.

— Ah, estamos perto do Ritz. Eles devem ter um banheiro para uma dama em apuros — diz Vic.

Ele segura minha mão e começa a atravessar a rua comigo.

— Nunca vão deixar a gente entrar no Ritz! — diz Emmeline, apressando-se para nos alcançar. — Olha só pra nós!

— Nosso dinheiro vale tanto quanto o dos outros — declara Vic.

— Não que eu esteja planejando reservar um quarto nem nada do tipo, mas talvez a gente pudesse pedir um copo de água.

— Ou uma pequena xícara de café? — sugere Jean-Luc esperançosamente.

— Por favor, parem de falar de líquidos — imploro.

Estamos nos aproximando mais e mais do prédio imponente, que está iluminado e brilhante, como se exibisse uma placa discreta, perto da porta, com os dizeres "proibida a entrada de ralé".

— Consegue aguentar só mais um pouquinho? — pergunta Vic.

Mal consigo falar.

— Espero que sim, caso contrário vou terminar morrendo de humilhação.

— Não precisa ficar envergonhada — garante Vic, pois já percebemos que é impossível envergonhá-lo. — Uma vez, passamos horas presos na estrada M6 devido a um engarrafamento, e eu precisei fazer xixi numa caixa de leite vazia.

— Não estava vazia — lembra Jean-Luc, com um pouco de desdém.

Eu riria, mas todos os meus músculos continuam contraídos ao passarmos por um dos arcos, pois o Ritz é tão grandioso que tem a própria passarela coberta para proteger os hóspedes do clima, e ela vai até a porta. Pelo vidro, consigo ver um enorme candelabro sofisticado que brilha na noite escura. Meus olhos acompanham o tapete felpudo vermelho e dourado, que vai dar numa entrada circular. Talvez nem seja uma entrada. Cinemas têm entradas, até mesmo aqueles bem ruins. Isso aqui é algo mais luxuoso. Um vestíbulo, talvez. Ou uma rotunda. Seja lá qual for o nome, é como se eu estivesse vislumbrando o interior de um ovo Fabergé ou de uma linda caixa de música. Eu meio que fico esperando ver uma bailarina extremamente delicada rodopiando sem parar, mas noto uma mesa de mármore com a borda dourada e um enorme vaso de flores brancas em cima.

Um homem de terno com riscas de giz percorre o tapete em nossa direção.

Normalmente, tem porteiros bem-vestidos com seus uniformes do lado de fora, mas até o Ritz tranca suas portas àquela hora da noite, e o homem se aproxima ameaçadoramente com uma expressão confusa no rosto. Ele vai dar uma bela olhada na nossa aparência desgrenhada — até a camisa de Vic deixou de ser branca como a neve a esta altura — e mandar a gente cair fora. Porém, ele provavelmente será mais educado que isso.

Tento não me sacudir enquanto ele destranca a porta, e assim que ela se abre, minha mente se decide. Vou invadir as cidadelas de bordas douradas do Ritz. Quando ele me alcançar, tenho certeza de que já vou ter conseguido encontrar o banheiro e me trancado dentro do cubículo.

Ele abre a porta apenas o suficiente para que eu me esprema por ela, então dou um passo para a frente e pronto! Saio correndo! Empurro o homem para trás, e tudo se transforma num borrão vermelho e dourado enquanto corro pelo lobby. Não sei aonde estou indo, mas vejo uma placa de restaurante, e onde há um restaurante, tem de haver um banheiro público. É a lei. Minhas duas avós e a mãe de Terry disseram isso várias vezes para mim e para diversos donos de cafés, e estou mancando pelo corredor, com os joelhos grudados, vagamente ciente das pessoas atrás de mim, e encontro outra porta... e graças a Deus.

Eu me jogo na porta. Depois me jogo para dentro de um cubículo. Nem me dou ao trabalho de passar a tranca, mas mexo no botão e no zíper do short e puxo para baixo enquanto pulo de um pé para o outro.

Depois me afundo no vaso sanitário. Ah! Felicidade. Quanta felicidade.

DOIS MINUTOS DEPOIS

Eu nunca teria adivinhado, quando comecei minha árdua jornada até o Crystal Palace muitas horas atrás, que em algum momento da noite eu terminaria fazendo xixi no Ritz.

— Xixi no Ritz — canto baixinho no ritmo de "Putting on The Ritz".

Porém, não tem ninguém para compartilhar a piada comigo. Se eu pudesse contar para Terry sobre a noite — talvez daqui a anos, quando não puderem mais me colocar de castigo nem me esconder a senha do Wi-Fi —, ele acharia hilário.

E é hilário. Acabei de fazer xixi dentro do Ritz e agora estou num banheiro rosa-pastel, com uma pintura mural bem perturbadora numa das paredes, mostrando um lago encrustado de frondes de lírio e uma mulher espiando por entre as folhas, enquanto do outro lado um homem a espia como se fosse o maior pervertido. Quanto mais eu olho, menos sentido faz.

Além disso, tenho coisas mais importantes a fazer, tipo me perguntar quem ou o quê está me esperando do outro lado da porta. Será que posso ser presa por invadir uma propriedade? Será que eles me liberariam só com uma advertência? É melhor nem pensar nisso, então me besunto com o caríssimo hidratante de mãos, e não passo só nas mãos, mas nos braços e pernas também. Debaixo do mural tem um sofá rosa, e eu cogito sentar nele. Depois, me deitar nele. Depois penso em ficar em posição fetal e pegar no sono, pois agora que não preciso mais fazer xixi, estou me sentindo bem cansada.

Alguém bate à porta.

— Senhorita! Senhorita! Preciso pedir que saia agora.

Passo mais uma quantidade generosa do hidratante e saio lentamente. Tem um segurança esperando na porta.

Tento lembrar que nenhum homem manda em mim. Sou uma guerreira. Hoje, sou eu que mando nesta cidade.

— Meu Deus, por favor não me prenda — digo, com a voz estridente. — Normalmente sou uma cidadã obediente, muito, mas as circunstâncias eram muito, *muito*, atenuantes.

Eu poderia jurar que ele piscou para mim embaixo do quepe, mas seu rosto continua inexpressivo.

— Preciso pedir que desocupe o local, senhorita — diz ele, com a mesma voz neutra.

Se ninguém for me prender, não vejo nenhum problema em ser acompanhada até a entrada do hotel, onde Jean-Luc parece estar reclamando com outro segurança e com o homem de terno risca de giz.

— *Mais c'est une question de vie ou de mort* — explica ele, erguendo as mãos. — *Mon amie est bouleversée. Qui sait ce qu'elle pourrait faire? Elle a un historique de maladie mentale!*

— Me desculpem. Me desculpem mesmo! — exclamo. — Não sei o que foi isso. Prometo que nunca mais faço de novo.

— Sim, pois se fizer, vai ser banida de todos os Ritz do mundo inteiro para o resto da vida — declara o Homem Risca de Giz.

Porém, ele nem parece tão irritado e só faz nos enxotar para o lado de fora e trancar a porta.

— Toca aqui — diz Charlie, e ela me olha respeitosamente, como se, além de invadir o Ritz, eu tivesse roubado uma antiguidade enquanto saía de lá. — Cara, toca aqui. Não acredito que fez isso.

Nós fazemos um toca-aqui. Todos nós, exceto Jean-Luc, que balança a cabeça.

— *Non.* Eu não faço toca-aqui.

— Você está bem agora? — pergunta Emmeline.

Faço que sim com a cabeça.

— Estou muito melhor. Não quero mais falar sobre isso. Nunca mais. Vou conferir o celular para ver se Flick mandou mensagem.

Primeiro atravessamos Piccadilly. Agora o lugar está deserto; é uma rua fantasma, passando pelo centro da cidade. É difícil acreditar que em algumas horas isso aqui vai vibrar de tanto movimento, carregando pessoas dentro de carros, ônibus e táxis de Piccadilly Circus até Hyde Park Corner. Os compradores de domingo e os turistas vão passear lentamente pela calçada, encarando vitrines e comprando chapéus bobos nas barracas de souvenir. Agora tudo está parado, tudo está quieto, exceto Charlie, que diz:

— Flick não vai mandar nenhuma mensagem pra você. Esse pessoal rico sempre fica unido.

Ela é tão negativa. Estou começando a achar que talvez ela e Emmeline não devessem ficar juntas, pois ela não está apoiando as escolhas da melhor amiga de Emmeline, e além disso Charlie não sabe de nada, pois quando tiro o celular das profundezas da bolsa, ele faz um barulho.

— Há! — digo. — Está vendo? O código feminino fala mais alto que a riqueza. E... ah! É de Mark.

Só de ver o nome na tela, meu estômago se revira de novo, mas sou uma guerreira e não tenho medo de algo tão insignificante quanto uma mensagem de texto.

Linda! Tá c raiva de mim? Não fique assim. Aquela Tab é louca. AS AMIGAS DELAS TB. Não acredite no que elas disserem.

— Argh, ele é terrível — murmura Emmeline.

— Agora que ele terminou o namoro com Tab, está tentando disfarçar tudo e garantir que ainda tem você como reserva — diz Vic. — Não o deixe suspeitar de nada.

Oi! Conheci uma garota chamada Flick. Falou coisas bem suspeitas sobre vc.

Mark responde imediatamente. Pelo menos, desta vez.

Por favor, não diga q acreditou nela.

NÃO! Vc disse q nada aconteceu. Confio em vc. Amo vc. Vc sabe disso. Onde vc tá?

Indo pra casa. A não ser que ainda tope aquilo? No sentido figurado e no literal?

Agora eu queria que o pessoal não estivesse me cercando e testemunhando essa pequena conversa. Emmeline agarra meu celular para poder olhar a mensagem, incrédula.

— Inacreditável. Ele realmente acha que vai transar com você hoje. Termina logo com ele por mensagem que aí a gente pode ir pra casa.

— Não vou terminar com ele por mensagem. A gente concordou que é muito feio fazer isso.

— Não, a gente concordou que era muito feio *ele* fazer isso. É só você dizer que sabe de tudo, fazer umas ameaças não muito graves e terminar tudo. — Emmeline balança os braços de um jeito desanimado. — Estou *tão* cansada.

— Não é *tão* tarde — digo, apesar de ser.

Nunca fiquei acordada até aquela hora antes, mas agora estou elétrica por causa da raiva justificada e da adrenalina. Puxo o celular de volta para mim.

Não tem nada que eu queira menos que Mark chegando perto de minha calcinha, mas preciso enrolá-lo por enquanto para poder olhar bem nos seus olhos na hora do golpe fatal, que vai acabar com tudo. Ainda assim, não quero parecer animada demais, e o histórico de Mark de não estar onde diz que está é chocante.

Sei que não foi nada, mas continuo chateada por ter visto vc com outra garota. Vou pra casa agora. Tá indo para o norte? Quer pegar o ônibus cmg?

— *Mon Dieu!* Até testar pasta de castanhas seria mais empolgante que isso — critica Jean-Luc.

Eu o ignoro, pois Mark responde rapidamente:

Indo para o oeste. Vou ficar c/ meu pai. Aniversário de minha avó amanhã. Tem certeza de que não posso recompensá-la ainda hj pelo q aconteceu? Não pode ficar lá em casa?

Emmeline está gemendo. Jean-Luc, murmurando em francês. Charlie está pedindo diretamente para ir para casa, e somente Vic está realmente me ajudando.

— Diga que talvez ele possa convencê-la — aconselha ele. — Se achar que você está a fim, ele vai dizer onde está, a gente pode ir até lá e então a destruição começa.

— Mas você não vai destruí-lo, Sunny — diz Emmeline, e, de repente, suas pernas desabam e ela senta na calçada, mas não é o suficiente, pois depois ela deita e se debate novamente. — Quero ir pra casa! Está tudo doendo, e eu disse que estava com bolhas por não ter colocado meias, e você me prometeu o protetor de bolhas, mas não me deu, e agora eu quero ir pra casa.

Sei como ela está se sentindo. Tenho compaixão, mas estou determinada e ponho a mão na bolsa.

— Quer os protetores? Tome! Aqui estão. Mas eu vim até aqui e só vou pra casa depois que confrontar Mark. Pessoalmente. Ele vai aprender.

— *Mais non.* O que exatamente ele vai aprender? Vamos todos pra casa! — diz Jean-Luc.

Ele tenta me puxar, apesar de eu fincar os calcanhares no chão. Ele é surpreendentemente forte. Deve ser de tanto bater claras de ovos e açúcar e de moer grãos de café. Por um instante, quero me afundar nos seus braços, pois também estou bem cansada e meus pés também estão doloridos, mas ninguém está me ouvindo reclamar disso.

Mas esse sentimento só dura um instante. Depois já estou de pé sem ajuda de ninguém.

— Vou mostrar para Mark que não vou ser ignorada. Ele não pode me tratar assim. Não é certo, tipo, ficar com alguém, fazer coisas, dizer coisas, e no final ser tudo uma mentira. Tipo, nunca foi real. Achei que eu era importante, e, na verdade, ele estava me enganando o tempo inteiro! Não entende o que isso me faz sentir?

Não entendo. Nunca entendi. Tipo, meus pais. Minha mãe e meu pai. Mas eles nunca foram minha mãe *e* meu pai porque não me lembro dos dois juntos. Eles sempre foram minha mãe ou meu pai.

Porém, eles passaram quatro anos juntos. Moraram juntos. Passaram todos aqueles meses, semanas, dias, horas e minutos juntos.

Contaram seus segredos um para o outro. Choraram na frente um do outro (mas não consigo imaginar meu pai chorando). Cuidaram um do outro quando um deles estava doente. Todas as coisas que um casal faz, e de repente tudo acabou, e depois disso eles nunca passaram um único minuto a sós.

Eles só falam sobre mim. Sobre os custos de minha universidade e de quem vai ter o prazer da minha companhia nos aniversários e feriados importantes, e todo o resto; os segredos e o cuidado simplesmente acabaram. O que aconteceu com tudo que sentiam um pelo outro? Para onde isso foi?

Então, sim, eu vou expor Mark porque isso precisa acabar da maneira que eu escolher. Com ele na minha frente, repugnado e envergonhado, pois eu o obriguei a admitir o que tinha feito, o quanto me magoou.

Emmeline não entende quando eu explico.

— Cara, você está sendo ridícula — retruca ela.

— Meus sentimentos não são ridículos!

Ela revira os olhos e tenta agarrar a calçada, pois ainda está esparramada ali.

— Meu Deus, quando você vai parar de falar de seus sentimentos? De que adianta a gente ficar aqui? Enfim, se Mark sequer concordar em vê-la, tudo que você vai fazer é cair aos prantos. De novo.

— Não, não vou! E enfim, você sempre diz que eu devo ser mais decidida. Bem, eu tomei uma decisão e vou continuar firme. Vou ficar na rua até encontrar Mark, e depois vou dizer exatamente o que acho dele.

— Essa decisão é ruim. — Emmeline cospe as palavras ao mesmo tempo que se levanta com dificuldade. — Você nem sabe onde ele está, sabe? Não tem nenhum plano, e eu não acredito que a gente ainda está falando sobre isso.

Eu cheguei longe demais para desistir agora. Eu e Emmeline estamos cara a cara, as duas com a respiração forte.

168

— Bem, valeu por todo o apoio, Em! Bom saber quem é meu amigo de verdade.

— Eu sou sua amiga, sua idiota. Estou tentando apoiá-la, mas você está dificultando muito. Se esta é a nova versão da Sunny, então preciso dizer que ela meio que é uma babaca!

— Não sou uma babaca.

— Sim, é sim, e eu vou para casa. Já cansei disso. Charlie! Vamos! A gente vai embora!

— Tá bom! Pode ir! — grito para Emmeline, enquanto ela se afasta, batendo os pés. Apesar de que ela está mais mancando que qualquer outra coisa. Charlie a segue, mas para e me lança um olhar de reprovação. — Eu nem ligo!

Mas eu ligo sim, pois estou falando de Emmeline e ela é minha melhor amiga. E apesar de eu *não* ser uma babaca, talvez eu tenha ignorado o quanto ela está cansada. Ela fica bem mal-humorada quando está com sono. Uma vez, quando estávamos no quarto ano e dormindo na casa de uma amiga, Emmeline se trancou no banheiro e se recusou a sair porque todo mundo estava fazendo muito barulho e vendo DVDs da Hannah Montana, e ela queria dormir.

— Será que devo ir atrás dela? — pergunto para Vic, que dá de ombros. Emmeline não está andando tão rápido, e eu a alcançaria com facilidade. — Eu devia ir atrás dela... Ah! Meu celular está apitando! É Mark.

Ele me mandou um snapchat e uma mensagem dizendo "Caramba! O que é *isso*?".

É uma foto de Mark com a mão dentro da parte da frente da calça jeans, com a seguinte legenda: "Tem certeza q n vai mudar de ideia?"

Jean-Luc realmente solta um *"ooh la la"*, e Vic dá uma risadinha e diz:

— Nem eu apelaria tanto assim.

Então a foto desaparece, e no lugar dela aparece uma mensagem de Flick.

Desculpe pela demora. Tab histérica. Mark & amigos em Chelsea. Boate chamada Plebs. Vou colocar seu nome na lista.

Ela incluiu até um link do Google Maps.

Agora não tenho mais tempo de ir atrás de Emmeline. Já estou sentindo o efeito da adrenalina de novo. A vingança será minha.

— Tá. Então vamos? — pergunta Vic.

— Vamos *mesmo*.

Jean-Luc desanima.

— Chelsea fica a *quilômetros* de distância — resmunga ele. — E isso pode ser apenas um... — Ele estala os dedos. Não de um jeito forte, mas de um modo que sugere que até seus dedos estão um pouco cansados. — Um *double bluff?*

— Um blefe duplo — diz Vic. — Essa tal de Flick. Ela é confiável?

— Não sei — respondo, com a dúvida começando a vir à tona.

Pode ser um blefe duplo sim. Mas também pode não ser. Só temos um jeito de descobrir.

— Vamos para Chelsea — digo firmemente.

Ignoro o gemido de Jean-Luc e a maneira como seus lábios se contorcem de um jeito completamente diferente dos de Vic. Existe uma palavra em francês para isso. Um *moue*. Sim. Jean-Luc está *moueando* ou fazendo bico. Até Vic está parecendo um pouco cansado, mas ele endireita os ombros e sorri alegremente, e estou começando a sentir como se eu nunca mais pudesse voltar para casa.

Enfim, Chelsea não fica a *quilômetros* de distância. A gente pega o metrô em Green Park, desce na parada seguinte, Victoria, troca para a linha Circle, só mais uma parada e chegamos a Sloane Square. Impossível ser mais simples.

Porém, a linha Circle não está funcionando, o que é simplesmente ridículo. De que adianta deixar o metrô funcionando a noite inteira se vão interromper um trecho enorme como a linha Circle? Então precisamos pegar a linha Piccadilly até Knightsbridge e depois a gente se vira. Nem deviam chamar de metrô noturno, isso é propaganda enganosa. Deviam chamar de "pequeno trecho do metrô que funciona a noite inteira".

— Ah, como eu queria que a gente nunca tivesse encontrado você em Clapham North — resmunga Jean-Luc, enquanto vamos até a plataforma correta.

É a primeira vez que entro no metrô de madrugada desde que ele começou a funcionar a noite inteira, e é estranho. É silencioso. Não tem quase ninguém, é como se cada estação fosse ocupada por fantasmas que fazem os trens deslizar pelos trilhos que ficam zumbindo àquela hora. É como se não devêssemos estar aqui, debaixo de toda essa iluminação desagradável, que deixa nossa pele acinzentada, nossos olhos enormes e tudo meio hiper-real.

Ou talvez eu esteja acordada há tanto tempo que a vida ficou meio bizarra.

Fico entre os Godards quando sentamos para esperar o trem.

— Mas a gente encontrou Sunny em Clapham North sim, e agora estamos nos aventurando — diz Vic, e eu sorrio, agradecida, pois Jean-Luc está com uma expressão tempestuosa desde que descemos a primeira escada rolante em Green Park. Tempestuoso com nuvens escuras agourentas e granizo também. — Enfim, não podíamos ter deixado você sozinha. Imagina se algo ruim acontece. Nem todos os doces e cafés do mundo seriam suficientes para recompensar *la belle Hélène*.

Eu me contraio um pouco. Meu toque de recolher à meia-noite já era havia muito tempo. Depois me descontraio. Até parece que ela e Terry vão descobrir. A não ser que...

— Vocês não vão contar para minha mãe sobre hoje, vão? Quero dizer, tecnicamente vocês são cúmplices por ocultação.

— Prefiro achar que somos cúmplices voluntários — diz Vic. — Mas não devia ser tão difícil procurar um garoto. — Vic apoia os cotovelos pontudos nos joelhos ossudos, depois apoia o queixo nas mãos. Parece muito desconfortável. — Ele sempre foi tão difícil de achar?

Penso em todas as vezes em que esperei Mark me ligar. E naquelas em que fiquei esperando na frente de vários pontos importantes do norte de Londres porque ele estava atrasado: a torre do relógio de Crouch End, Kenwood House em Hampstead Heath, a estação de metrô de Camden Town. Ele nunca estava onde dizia que ia estar na hora em que a gente tinha combinado.

Posso pensar em coisas boas, e aconteceram muitas coisas boas, mas também esperei por ele infinitas vezes e ensaiei infinitas vezes o que diria quando ele finalmente aparecesse. Porém, assim que eu começava a me atrapalhar com a primeira frase, ele dizia "linda" de um jeito todo arrependido e mostrava seu sorriso e segurava minha mão, e eu me sentia agradecida só por ele ter se dado o trabalho de me encontrar.

Em alguns aspectos, Mark era um pouco parecido com Emmeline. É difícil ficar perto de pessoas cujas estrelas brilham mais que a sua.

Porém, agora a estrela de Mark terminou apagando.

— Me desculpem por ter arrastado vocês nessa perseguição maluca. Eu fui muito chata?

Jean-Luc e Vic nem precisam pensar.

— Sim — dizem eles em uníssono.

Eles também se levantam ao mesmo tempo, pois o trem sai rugindo do túnel.

— Muito chata, Sunny. Ainda bem que você é engraçada e que dança o Charleston muito bem, caso contrário, a gente teria abandonado você em Camden — diz Vic, enquanto sentamos no trem, e eu fico no meio de novo. — E bonita também, não que eu julgue as mulheres só pela aparência, pois isso seria errado.

— Que pena que a gente não deixou *você* em Camden, Vic — diz Jean-Luc.

Ele estende o braço ao meu redor para atingir as costelas de Vic.

Eles discutem baixinho em francês até chegarmos a Knightsbridge, e continuam discutindo quando saímos da estação. Todo esse movimento de entrar e sair nos metrôs tem sido ótimo para me distrair, mas agora, quando entramos num ônibus que vai nos levar por Sloane

Street, fico mais que nervosa. Uma palavra nova tem de ser criada para descrever o que estou sentindo.

Se eu tivesse encontrado Mark assim que saí do show do Duckie, quando meu sangue estava quente e as demandas de minha bexiga tornavam tudo um pouco mais urgente, eu teria acabado com tudo. Teria acabado com Mark. Ainda estou meio confusa em relação aos detalhes e fico ainda mais confusa quando saltamos do ônibus no fim de King's Road, pois em instantes chegaremos a um bar chamado Plebs. Onde vou confrontar Mark e tentar me expressar com palavras que também façam o estômago dele se revirar completamente. Que façam sua cabeça doer. Que o levem a analisar seu interior, a maneira como trata as pessoas, e que depois ele perceba que nada disso é legal.

Não sei se dá para fazer isso com palavras. Mas preciso tentar, caso contrário essa noite inteira terá sido em vão.

Primeiramente, preciso encontrar Mark. O ponto azul e a seta vermelha de meu Google Maps se encontram, e nós chegamos.

LONDON CALLING

Uma playlist (compilada por Sunny, Terry e *la belle Hélène*)

"Waterloo Sunset" — The Kinks
"Girl VII" — Saint Etienne
"A Rainy Night in Soho" — The Pogues
"The Underground Train" — Lord Kitchener
"London Pride" — Noël Coward
"Hey Young London" — Bananarama
"Mayfair" — Nick Drake
"London Town" — Laura Marling
"Bar Italia" — Pulp
"Galang" — M.I.A.
"Maybe It's Because I'm a Londoner" — Hubert Gregg
"Hometown Glory" — Adele
"LDN" — Lily Allen
"West End Girls" — Pet Shop Boys
"London Calling" — The Clash

3h45

CHELSEA

Em 1536, Henrique VIII adquiriu o solar de Chelsea por ser um ótimo lugar para acomodar Ana de Cleves, a esposa de quem não gostava tanto assim.

Chelsea continuou se modernizando cada vez mais. A famosa King's Road foi criada como via particular de Carlos II, ligando St. James's Palace a Fulham, mas na era vitoriana Chelsea era conhecida por ser uma colônia de artistas. Whistler, Sargent, Rossetti jogavam tinta nas suas telas no SW3.

Chelsea ganhou popularidade de novo nos anos 1960, com as lojas Granny Takes a Trip e Mary Quant's Bazaar, e suas ruas ficavam lotadas de garotas de minissaias e homens de cabelos desgrenhados. Os punks se mudaram para a área nos anos 1970, e nos 1980 os aristocratas, que sempre tinham morado na região, voltaram. Eles eram conhecidos como Sloane Rangers e são mais bem exemplificados por Lady Di antes de se tornar princesa.

Hoje em dia, Chelsea é mais conhecida devido ao reality show Made in Chelsea, *mas quase todos reconhecem que a melhor coisa a sair de lá foram os pãezinhos chamados Chelsea Buns.*

Plebs.

Está escrito com letras brancas em néon. Um bar cheio de pessoas. Pela janela, vejo pernas e braços de garotas habilmente posicionados nos sofás de couro, rapazes com o cabelo penteado para trás e um excesso de botões desabotoados na camisa.

Tem de ser uma armadilha. Não acredito que Mark e que até mesmo os amigos ricos de sua antiga vida viriam para cá. Eles podem até ser ricos, mas esse pessoal aqui é mais que rico. É como se eles ganhassem Ferraris ao tirar as carteiras de habilitação e Amex pretos em vez de mesada.

— Acho que é uma armadilha — digo.

— Deve ser. — Jean-Luc não está ajudando. — Não confio em pessoas que são tão reluzentes.

— Ah, vai dar tudo certo — assegura Vic.

Ele vai até a entrada, e o segurança, que está com um terno bem mais elegante que o dele, simplesmente abre a porta e deixa Vic entrar.

Não tenho sangue francês nas veias. Nem um pouquinho de *je ne sais quoi, savoir faire* nem nada do tipo, então vou até a porta e digo, com voz estridente:

— Estou na lista, meu nome é Sunny. — Gesticulo para Jean-Luc, agora tão encurvado que parece que seu pescoço sumiu. Ele parece uma tartaruga magra e cabeluda. — Ele está comigo.

O segurança me lança um olhar sério de "hein?", mas depois confere o iPad (pelo jeito no SW3 as pessoas não usam pranchetas) e meu nome deve estar na lista, pois ele também abre a porta para nós.

A primeira coisa que me atinge é o barulho. Sou golpeada por uma parede de som. Tem gritos, berros, gargalhadas no ritmo do som das taças se encostando. Um DJ na cabine acima da multidão toca o que deve chamar de "baladas sensuais".

Vic desapareceu. Não sei para onde foi, mas Jean-Luc e eu damos uma volta rápida pelo local. É difícil, pois tem muitos esconderijos perto do bar, e todos eles estão reservados para festas particulares.

As pessoas dos esconderijos só-para-convidados nos olham como se tivéssemos acabado de peidar e elas sentissem o cheiro de onde estão. Tento mandar uma mensagem para Flick, mas usar o Google Maps acabou com o que me restava de bateria.

Quando voltamos ao bar principal, percebo que sou a única pessoa negra ali dentro. A única pessoa usando uma camiseta amassada que defende que uma cidade construída pelo rock'n'roll é estruturalmente instável. A única pessoa com tênis sujo da Adidas, que ficou com manchas cinza na borracha branca por causa de todas as vezes em que tomei chuva e fui para casa chapinhando na lama.

Porém, mais que tudo, sou a única negra ali dentro.

— Vamos tomar um drinque então? — Vic voltou. — É a vez de quem pagar?

Pagar uma rodada é o mínimo que posso fazer.

— Na minha. Se eu conseguir comprar.

— Vai conseguir. — Será que tem algo que desnorteia Vic além das garotas que ele conquistou e depois enxotou? — Eu quero a cerveja mais barata que tiver.

— O que você quer? — pergunto a Jean-Luc.

Jean-Luc funga.

— Cerveja, eu acho.

Demoro séculos para ser atendida. Mais uma vez, eu me pergunto se não é porque sou a única pessoa negra ali dentro.

Porém, não é por isso que ele me trata mal. Também não é porque tenho menos de 18 anos, pois ele nem pergunta. Ele só me diz que duas garrafas da cerveja mais barata custam 21 libras e 38 pence. Quando arregalo os olhos e exclamo "caramba, quanto?!?!", ele diz que uma libra e 38 pence é a taxa de serviço. Uma libra e 38 pence por pegar duas garrafas de cerveja na geladeira e tirar as tampas.

E ele me trata ainda pior quando peço um copo de água.

— Água da torneira — digo.

Porém, morro por dentro quando saio com minha mãe e ela pede água da torneira num restaurante, pois ela acha isso superimportante, e não entendo que diferença faz pedir uma garrafa de 1 litro de água com gás, mas agora estou dizendo "água da torneira" e falando muito sério.

— Não servimos água da torneira — diz ele.

Normalmente, eu ficaria sem conseguir responder nem olhar nos olhos dele, pois o barman está muito em forma. Ele tem cara de ser um daqueles modelos com camisetas bem coladas, óculos escuros e produtos no cabelo quando não está trabalhando como barman. Mas reajo e não é porque lembro de repente que sou uma guerreira e ninguém manda em mim.

Não, estou me concentrando para ficar durona porque ele acabou de me servir as duas cervejas mais caras do mundo, então eu o olho nos seus olhos belos, intensos e arrogantes, e digo:

— Você tem de servir água da torneira. Se recusar, estará violando a lei. Eu posso morrer de desidratação, e meu pai é advogado.

Depois disso, ele me serve a água da torneira com um sorriso tenso. Ele põe até gelo e limão, e eu carrego minha carga preciosa de volta até Vic e Jean-Luc, que estão sentados num sofá, de pernas cruzadas, com os pés pontiagudos apontando em direções diferentes. Jean-Luc está com uma cara de quem adoraria que eu também tivesse trazido algumas lâminas com a cerveja.

Ele pega a cerveja sem nem agradecer e fica encarando; parece esperar que a garrafa compartilhe alguma sabedoria, como se fosse o Yoda.

— Ah, jovem Jean-Luc, a força não está com você.

Vic olha ao redor animadamente.

— Tantas mulheres bonitas aqui. Nem sei por onde começar.

Não tenho onde sentar, pois o sofá é de dois lugares, mas ele provavelmente ficaria ofendido se fosse chamado de sofá porque é branco e de couro e tão minimalista que nem tem braços onde eu possa me apoiar. Então me encosto na parede com meus tênis sujos, tomo minha água da torneira, continuo sendo negra e fico feliz por Mark não estar ali. Não é assim que eu queria que as coisas acontecessem.

— Sabem de uma coisa? Será que não é melhor a gente ir pra casa depois que vocês terminarem a cerveja?

Jean-Luc semicerra bastante os olhos.

— Nós viemos até Chelsea para nada?

Eu me inclino mais na parede, mas ela não me engole inteira, o que seria útil.

— Hum, é. Parece que sim. Desculpem.

— A gente vai embora? — Vic fica desanimado. — Mas acabamos de chegar. Que desperdício! Vamos ficar um pouco, ou, pelo menos, até eu separar aquela loira ali de macacão do resto do rebanho.

— Espero que diga seu verdadeiro nome para ela — comenta Jean-Luc, enquanto se ergue. — Esta cerveja está péssima. Aquela garota ali não para de enfiar a língua no ouvido do namorado, mas também não para de olhar para mim. *C'est l'endroit le plus horrible du monde. Allons-y!*

Ele tenta ir embora, mas na sua frente tem um cara de calça jeans branca, mocassins e camisa amarela num tom pastel, desabotoada para mostrar excessivamente os pelos do peito. Eles fazem uma dancinha constrangedora até Jean-Luc se aproximar e dizer algo para o rapaz, que se afasta imediatamente e ergue as mãos, rendendo-se.

— Com Jean-Luc, Sunny, é assim mesmo, ele é ótimo, mas, de repente, deixa de ser ótimo — explica Vic. Ele toma um gole da cerveja casualmente. — Muito temperamental. Eu vivo dizendo para ele checar a taxa de glicose.

— Tenho certeza de que ele se anima quando escuta isso. — Também estou me sentindo bem temperamental. Passei a noite acordada, senti todo tipo de coisa intensa, mas agora estou cansando. Meu dinheiro acabou. Meus pés doem. Sinto como se nunca mais fosse ficar limpa de novo, e só de pensar em ter de ir de Chelsea até Crouch End de transporte público às quatro da manhã com um francês muito temperamental (tenho a impressão de que Vic não vai voltar com a gente para o norte de Londres por causa dos olhares sensuais que a loira de macacão lança para ele), eu fico com vontade de me deitar no chão e chorar. — Não acredito que viemos até aqui para nada.

181

Vic toma um último gole de cerveja e se levanta.

— Eu não diria que desperdiçamos completamente a viagem. Então você está bem e vai para casa? Acho que chegou a hora de eu avançar na presa.

Não estou vendo o rosto de Vic pois ele está virado, mas a loira de macacão está vendo e obviamente gostando do que está vendo, pois ela lambe os lábios e joga o cabelo para trás. Odeio interromper, mas preciso e tal.

— Espere. Vamos só dar mais uma volta.

Eu sinto no fundo do coração que Mark não está aqui, mas meu coração está cansado e dolorido, então talvez ele não seja muito confiável.

Abro caminho ao redor do bar mais uma vez, dando uma olhada em todos os cômodos privados e ficando sem ar toda vez que vejo um garoto de cabelo loiro desleixado. Eu me sinto um tanto fraca, pois tem muitos garotos de cabelo loiro desleixado, mas nenhum deles é Mark.

Até que, de repente, um deles é Mark.

Estou na parte de trás do cômodo quando o vejo indo em direção à porta. É só mais uma cabeleira loira na multidão, mas ele se vira, ergue a mão para alguém que não consigo ver, e, de repente, meu coração se joga contra o esterno.

Mark diz para eu correr, e eu corro.

Porém, ele nem sabe que estou aqui, mas eu corro mesmo assim, tropeço num banco que está no meu caminho, seguro a manga de Vic, que vai em direção à garota de macacão, e o puxo para o chão comigo. Ele não fica muito contente.

— Sunny, o que está fazendo?

— Ele está aqui! — digo, olhando para Mark, que agora está saindo pela porta. — Ele está fugindo.

Nós vamos correndo até ele e no caminho pegamos Jean-Luc, que estava perto da chapelaria. Agarro sua mão e o puxo para fora da porta enquanto Vic grita alguma coisa para ele em francês.

Tarde demais! Chegamos do lado de fora bem na hora em que Mark entra no banco de trás de um táxi preto e bate a porta enquanto o veículo se afasta do meio-fio.

Não hesito. Está na cara o que devo fazer. Outro táxi preto está deixando mais jovens ricos no local, e um deles segura a porta muito gentilmente enquanto pulo para dentro, ainda agarrando um Godard em cada mão para que eles não tenham escolha além de pular junto comigo. E depois digo três palavras que achava que só se dizia na televisão:

— Siga aquele táxi!

CINCO MINUTOS DEPOIS

Estamos num táxi. Num táxi preto. Eu não tive escolha.

Apesar de táxis pretos serem perigosamente caros. É isso que minha mãe diz, mas acho que é uma maneira de alfinetar meu pai, pois ele sempre pega táxis pretos. No passado, toda vez que ele questionava o custo do meu intercâmbio para a Espanha ou das minhas aulas de dança, ou por que eu precisava de sapatos novos para a escola quando eu tinha acabado de comprar um par (era porque eu queria muito, menti e disse que cabiam quando não cabiam, e meus pés ficaram *cheios* de bolhas; tive até infecção num deles, por isso sapatos novos, e as bolhas muito infectadas me castigaram o suficiente), minha mãe sempre dizia:

— Hum! Diz o homem que pega táxis pretos como se fossem malditos ônibus.

Agora estou dentro de um, e é ótimo. Muito confortável. Muito espaço para as pernas, então Jean-Luc e Vic, que está sentado num dos assentos vazios na minha frente, conseguem estendê-las, e o motorista, Stan, comenta que dirige o táxi há 27 anos e sempre quis escutar um passageiro dizer "siga aquele táxi!".

As ruas não passam de um borrão escuro com plátanos e casas cobertas com reboco. Vic aponta para um pub de onde foi expulso uma vez por subir numa mesa e cantar a *Marselhesa* quando a França ganhou no rúgbi, mas Jean-Luc se afunda no banco até seu queixo encostar no peito.

— É impossível encontrar alguém que não quer ser encontrado — diz ele por fim. — A gente devia ir pra casa. Esse tal de Mark... — Ele funga. Deve ser uma coisa parisiense, pois suas fungadas dizem muita coisa. — Por que precisa ir atrás dele? Ele não está indo atrás de você.

— Caramba, que grosseiro — diz Vic.

Jean-Luc balança a cabeça.

— Não. Quero dizer o seguinte... toda essa energia, Sunny, todo esse esforço, ele não merece isso. Ele é um... *c'est un salaud.* Você merece mais que isso, merece mais que ficar perseguindo ele, *non?*

— Mas eu não o estou perseguindo porque o quero de volta. Estou o perseguindo para dizer exatamente o que penso dele. Eu sempre deixo as pessoas me fazerem de gato e sapato, até não sobrar mais nada de mim. Mesmo quando acho que estou gritando, ninguém me escuta, então não quero esperar até encontrar Mark por aí. Isso pode demorar dias, e aí vai parecer que sou ridícula por não deixar as coisas de lado, mas eu não sou ridícula. Cansei de ver as pessoas achando que sou ridícula. Não entende isso?

Jean-Luc dá mais uma fungada parisiense.

— Até parece! Você é a pessoa menos ridícula que já conheci — responde ele.

De alguma maneira, ele fala como se não fosse um elogio. Como se eu fosse tão mandona quanto Jeane. Ou tão briguenta quanto Emmeline. Quem me dera.

— Eu não tenho uma noite de sábado tão louca assim há séculos. Talvez seja a noite mais louca da minha vida — diz Vic alegremente. — Foi muito divertido. Foi tipo uma caçada ao tesouro, mas sem o tesouro no fim...

Ergo a mão.

— O tesouro vai ser minha liberdade!

Os dois exibem expressões idênticas de que não estão impressionados com minha liberdade, o que é estranho, pois eles são franceses. Afinal, a única frase em francês que sei de cor é *"liberté, egalité, fraternité ou mort"*. É o lema nacional. Sei disso porque apareceu num episódio de *Pointless* uma vez.

— Eu prefiro dinheiro à liberdade — diz Vic.

— Ou álcool. Ou chocolate.

— Eu me defender pela primeira vez na vida é um tesouro incrível. Se eu conseguir confrontar Mark, consigo confrontar qualquer pessoa.

É verdade. Toda vez que Mark fala seus "lindas", cada um mais acusativo que o anterior, começo a ceder. Depois ele toca meu braço e faz aquela coisa com os olhos; me olha como se o sol nascesse por minha causa e também como se fosse por esse motivo que ele levantou da cama, e então eu esqueço todas as promessas que fiz para mim mesma. Eu continuaria com raiva dele, mas terminaria entrando em pânico e ficando com medo de que ele escapasse de mim ao vê-lo todo loiro e concentrado na minha pessoa.

Talvez seja por isso que Mark é tão fugidio, tão difícil de encontrar — porque ele se transformou num tesouro. Num namorado-troféu. Porém, se Mark é um troféu, ele é o tipo de troféu que fica bonito quando é outra pessoa no pódio, erguendo-o tão alto que o sol o faz brilhar.

Depois, quando a pessoa pega o troféu, primeiramente fica empolgada por ter vencido e deslumbrada com o brilho. Depois de um tempo, ela percebe que o troféu não é feito de nada precioso. É um metal barato que se embaça rapidamente, e as palavras que ela achava que eram gravadas estão apenas coladas e começando a desbotar. Aquela coisa que a pessoa trabalhou tanto para conquistar é de má qualidade, barata e fácil de quebrar.

— Sério? Então vai conseguir confrontar *la belle Hélène*? — Jean-Luc mostra mais uma expressão cética. — *C'est impossible.*

— Muito impossível. As coisas que ela nos obriga a fazer. Faz meses que ela não paga pelas xícaras de café — diz Vic para mim. — Ela está nos roubando!

Parece minha mãe mesmo. Está na cara que ser durona está nos meus genes, é só olhar para as mulheres dos dois lados da família para saber disso. Talvez essa minha característica fosse um gene dormente.

De repente, Jean-Luc está bem no meu rosto, tão perto que, se nós dois piscássemos ao mesmo tempo, nossos cílios se encostariam. Tão perto que, se nós dois fizéssemos um bico, nossos lábios roçariam um no outro. Ele ainda está com um cheiro de coisas doces.

— Sunny, eu imploro. Isso é a maior tolice. Vamos embora.

Ir embora parece bem tentador, mas...

— Sou uma guerreira, e guerreiras não vão embora!

Jean-Luc volta a se acomodar no banco, e tenho certeza de que ele estaria murmurando na sua língua nativa se não estivesse franzindo tanto a testa.

Enfim, eu tenho mais o que fazer, tipo ficar de olho no táxi da frente (Stan nos conta que o outro motorista está "dando a volta nas casas, imbecil descarado") e encarar o taxímetro e me perguntar por que o valor sobe 30 pence toda vez que pisco os olhos. É por isso que meu pai reclama quando eu tenho de comprar sapatos novos para o colégio. Ele deve estar à beira da falência se só anda de táxi.

— Parece que nossos amigos daí da frente estão parando — diz Stan.

O táxi que estamos seguindo para na frente de uma casa enorme, e um grupo de garotos, todos de calça jeans bem baixa e cabelo loiro, sai do carro. Estou louca para sair também, mas precisamos pagar a corrida. A jornada só demorou cinco minutos, mas deu quase 13 libras. Eu remexo na minha bolsa e acho que vou chorar, mas Vic bate na minha mão e entrega 20 para o motorista.

— Pode arredondar para 15, cara — diz ele. — Você paga outra bebida pra mim em algum outro sábado, Sunny, e aí ficamos quites.

Vic me ajuda a sair do táxi, e nós estamos numa rua residencial larga e com árvores nas laterais, construída na época em que as casas tinham quatro andares porque as pessoas tinham funcionários que se matavam de trabalhar no porão e dormiam no sótão, e precisavam de uma ampla rotunda para as carruagens.

Estamos na frente de uma dessas enormes casas de quatro andares, e tem uma festa acontecendo dentro dela, perturbando a tranquilidade de uma manhã sonolenta de domingo. As pessoas e a música chegam até a rua, guimbas de cigarro e garrafas enfeitam os canteiros, e a porta está escancarada. Normalmente, eu nunca iria a uma festa sem ter sido convidada, mas os garotos do táxi já desapareceram depois de entrar na casa, sendo engolidos pela multidão. E não tem ninguém na porta riscando os nomes de uma lista.

— Então vamos?

Eu sacudo a cabeça na direção da porta.

— Se vamos! — Vic está esfregando as mãos enquanto os olhos vão até um grupo de garotas sentadas no muro do jardim. — Preciso admitir, Sun, você sabe onde as garotas bonitas costumam ir.

Ele oferece o braço, e eu aceito, mas antes de darmos um único passo, uma pequena explosão acontece atrás de nós.

— *Non! Non! Non!* Basta. — Quando me viro, Jean-Luc está abraçando um poste como se fosse a única coisa que o estivesse mantendo de pé. — Vocês não podem simplesmente desaparecer dentro dessa casa. Pode acontecer todo tipo de coisa. Vocês podem esbarrar em um... um... é, *meurtrier avec une hache...*

— Eu duvido que tenha algum assassino com machado aí dentro. Vai ser só um monte de mauricinhos bêbados — diz Vic. — E também alguma garota de sorte que vai ter o prazer da minha companhia.

— E Mark está lá dentro — lembro a Jean-Luc, que agora agarra o poste como se fosse seu único amigo no mundo, gemendo num arremedo de dor. — Escute, não vai demorar. Eu entro, encontro Mark, destruo tudo em que ele acredita, assassinando sua personalidade de maneira sucinta, quem sabe também não o faço chorar, e depois a gente vai para casa. Vai ser meia hora, no máximo.

Parece simples quando explico assim. A coisa mais simples de todas. Estou ficando elétrica de novo pela... nona vez na noite. Porém, Jean-Luc não está elétrico. Ele parece que acabou de levar um balde de água fria na cabeça.

— Pff. Não acredito em você.

Fico magoada.

— Ah, Jean-Luc, não fique assim!

— Vou para casa — insiste ele. — Não aguento mais. *Assez!*

— Como quiser. Vá pra casa então, Sr. Estraga-Prazeres — diz Vic. Ele finge que o está enxotando com as mãos. — Pode ir. Você tem aquele aplicativo que baixei no seu celular. Com ele, você vai saber que ônibus deve pegar.

— *Mon Dieu!* Aplicativos! — Jean-Luc parece estar a uma exclamação de surtar completamente. Ele se afasta do poste. — Tá bom. Pode continuar perseguindo seu namorado odioso, e, Vic, vá transar com alguma coitada que não sabe que você é *un salaud. Ça va! Je peux prendre soin de moi-même!*

Depois ele vai embora, furioso. E Jean-Luc faz isso tão bem que só faltava uma capa esvoaçando atrás de si. Porém, não consigo deixar de sentir um pouco de culpa. Bem, muita culpa, na verdade.

— Vic, a gente não pode simplesmente abandoná-lo!

Vic está subindo os degraus.

— Você o escutou. Ele vai ficar bem. Ele sabe se cuidar sozinho. Vamos. Vamos caçar namorados malvados.

Primeiramente, eu obrigo Vic a me dar o número de celular de Jean-Luc, mas não tenho força suficiente para mandar uma mensagem.

— Sério, ele vai ficar bem — Vic me tranquiliza ao passarmos pela porta. — Vou mandar seu número para ele, assim, quando ele cair na real, vai poder mandar uma mensagem pra você e avisar que ainda está vivo. Se eu ganhasse uma libra toda vez que ele volta mais cedo para casa numa noitada...

— Tecnicamente, não é mais uma noitada. Já é de manhã...

— Ou toda vez que ele vai embora furioso, eu seria rico. — Vic põe o braço ao redor do meu ombro e dá um beijo na minha testa. Eu sinto alguma coisa bem sutil quando a *magreza* de Vic se pressiona contra mim por alguns alegres momentos. — Não se preocupe, Sun. Pode contar comigo.

Fico feliz por ter o braço de Vic ao meu redor, pois a casa está mal iluminada e Jean-Luc tinha razão: nós não sabemos o que vamos encontrar ali dentro. A única iluminação vem de holofotes presos nas paredes na altura dos nossos tornozelos e do brilho dos dentes perfeitamente brancos enquanto abrimos caminho no meio dos outros convidados. Todos eles têm cabelos bonitos também. Garotos e garotas. Loiro e ondulado e com mechas mais claras devido aos dias que passaram na praia e no deque de iates particulares.

Eu já tinha percebido isso antes, que todos os ricos têm a mesma aparência. São elegantes e esguios. Eles também falam da mesma maneira. Falam alto e de um jeito pomposo. A maioria está usando camisetas vintage de bandas que nem conhece, pois eles podem ser ricos, mas nunca serão descolados de verdade.

É a maneira que o mundo tem de restaurar a ordem, imagino.

Isso me faz lembrar da vez em que Mark estava usando uma camiseta do Trojan Records quando encontramos meu tio Dee, em Notting Hill. Dee fez Mark se sentar e o interrogou sobre Lee Perry, The Cimarons e a volta do Ska até Mark ser obrigado a admitir que nem sabia o que era Trojan Records.

Depois tio Dee me disse que Mark não prestava e que eu devia me livrar dele o mais rápido possível.

Antes tarde do que nunca, né?

DEZ MINUTOS DEPOIS

Vic e eu nos esquecemos completamente de encontrar Mark. Ficamos andando pela casa, observando e nos deslumbrando com tudo. Até o hall de entrada parece uma galeria de arte bem sofisticada. Tem um enorme quadro feioso ocupando a maior parte de uma parede. Eu nem sei dizer o que é, pois são apenas linhas pretas borradas em um fundo cinza escuro. O chão é de mármore, e tem uma escada imensa que leva ao andar inferior e uma fila com pessoas esperando pacientemente para escorregar pelos corrimões.

A cozinha é bem moderna e parece o interior de uma nave espacial, apesar das garrafas e dos adolescentes ocupando todas as superfícies. A mesa de jantar é do tamanho de uma piscina olímpica, mas tem um garoto e uma garota rolando em cima dela enquanto se agarram loucamente.

— De quem é essa casa? — pergunto, e Vic balança a cabeça.

— De alguém muito rico. Mais rico que Deus.

Não subimos, pois parece falta de educação entrar nos quartos, mesmo que a gente tenha invadido uma festa para a qual não fomos convidados, e, de todo jeito, o andar de baixo já parece bem divertido.

Nosso porão é um espaço horrível, úmido, com teias de aranha e fica no fim de uma escada frágil onde eu e Max, do andar de cima, guardamos nossas bicicletas e outras coisas volumosas. Este porão tem três andares, academia, cinema, boate com pista de dança iluminada e adega.

Os olhos de Vic estão praticamente saindo da cabeça. Não por causa da casa e toda a sua grandeza, mas porque tem tantas garotas perambulando por ali, todas de longas pernas bronzeadas e com cabelo despenteado, que jogam para trás sempre que possível. O cabelo de outra pessoa bate na minha boca duas vezes, e mesmo assim ainda não achamos Mark. A casa é tão grande e tem tantos garotos parecidos com ele. Quando subimos a escada ao sair do porão, encontramos mais um grupo deles. Todos têm cabelos claros e falam alto, como se estivessem usando protetores auriculares, e um deles veste uma camisa polo rosa com a gola erguida. Quando alguém chama "Giles?", dois se viram e... espere um pouco!

Agora me lembrei de uma coisa. Mil horas atrás, no The Lock Tavern, quando estavam me informando sobre os amigos de Chelsea de Mark. Vozes altas. Camisa polo rosa. Gola erguida. Dois Giles.

— Me dê cobertura — sussurro para Vic, como se nós dois fôssemos dois policiais de plantão.

Não paro para pensar nas consequências — o que tem sido a principal característica da noite. Eu me aproximo deles com Vic bem atrás de mim.

— Não faça nenhuma tolice — diz ele. — Eles são muitos, e sou bonito demais para morrer.

Eu o ignoro.

— Cadê ele? — pergunto, puxando uma camisa polo cor-de-rosa. — Cadê Mark?

— Quem quer saber? — pergunta um dos Giles.

De repente, todos eles estão ao meu redor. Não de uma maneira agressiva, não exatamente, mas também não estão sendo simpáticos.

A namorada dele quer saber, estou prestes a dizer, mas nem dá para adivinhar o que Mark contou a eles.

— Sou uma amiga. Uma amiga do norte de Londres — improviso apressadamente. — Estudamos juntos.

— Tá certo. E você conhece aquela tal de Sunny? — pergunta o camisa-polo-cor-de-rosa. — Que piranha, arruinando o namoro dos outros. Inventando histórias sobre Mark. Fazendo Tab chorar. Flick parece gostar dela, mas, sério, Flick gosta mais de cavalos que de pessoas, então como ela...

— Chega! — Ergo a mão para pedir silêncio, e deve ser o olhar assassino no meu rosto que faz ele calar a boca. — Está falando sério?

Estou quase surtando. Dando uma de Khaleesi para cima deles. Porém, com uma epifania que dura uma fração de segundo, percebo que Mark não pode saber que eu sei que ele é um traidor safado. Ele também não pode saber que deixei de ser trouxa e virei durona, e se eu der mais alguma dica para seus amigos de Chelsea, todos os meus planos de vingança terão sido em vão, e o elemento surpresa, que é crucial, estará arruinado.

— Sunny não é assim. Ela é legal. Muito legal — digo carinhosamente. — A gente tem um ditado no norte de Londres. OQSF. O que Sunny faria? E ela está namorando Mark, então não sei qual é a história dessa tal de Tabitha.

Um dos garotos vem um pouco para a frente. Eu achava que eu era a pessoa mais morena ali dentro, mas ele está tão bronzeado que deve estar mais moreno que eu.

— Tab e Mark estão juntos. *Estavam* juntos. — Ele franze a testa. — É bem complicado. Porque eles terminaram o namoro agora. Não sei quem terminou com quem, mas Tab jogou uma bebida nele. Então, você estava no The Lock Tavern mais cedo? O que sequer está *fazendo* aqui?

Ele não fala de um jeito hostil, mas parece perplexo por alguém do norte de Londres estar se divertindo na sua vizinhança.

— Sim, eu estava no The Lock mais cedo, foi assim que o reconheci, e depois vim para cá porque sou prima de Poodle — digo vagamente porque, puxa, deve ter alguém ali com um nome ridículo como Poodle, e eu devo estar mesmo certa, pois os Giles fazem que sim. — Enfim, Poodle foi para casa, e eu preciso voltar para o norte de Londres e queria que Mark me emprestasse dinheiro.

Eles balançam a cabeça. Não vai dar.

— Mark não está com a gente — diz Giles Um. — Ele estava com a gente, mas precisou voltar para a boate onde estávamos porque esqueceu o celular.

Assim eu me sinto melhor com o silêncio de Mark no telefone, mas depois me sinto pior porque os amigos de Mark estão se oferecendo para me dar dinheiro ou para pedir um carro para mim ("Tipo, sério, não tem problema, meu pai nunca confere as contas"), e eles estão sendo muito gentis. Não são os babacas que Mark disse que eram, e eles podem ser ricos, mas nem por isso são pessoas ruins. Quando insisto que posso dormir na casa de Poodle, porque minha prima mítica não mora tão longe, eles se oferecem para me acompanhar até lá.

— Ah, não, está tudo bem — reclamo.

— A gente está indo embora mesmo — diz Giles Dois. — Mas devíamos nos encontrar de novo antes de as aulas recomeçarem, né? Aquele George disse que, quando a revolução começar, seria forca para todos nós. Ele é *hilário*!

Eu bufo com alegria. Todos nós nos abraçamos. Quem diria? Depois, todos vão embora e eu me viro para Vic, que disse que me ajudaria, mas não está ali. Ele sumiu, sem deixar nenhuma pista.

Não o encontro em lugar algum. Eu até vou para o primeiro andar e fico nervosa ao abrir portas que eu preferia nunca ter aberto, pois vi coisas que meus olhos inocentes não deviam ter visto.

Enquanto desço, noto Vic perto da porta da casa, batendo o pé impacientemente, com uma garota em cima dele.

— Sunny! — exclama ele ao me ver. — Finalmente! Está na hora de encerrarmos a noite, não acha?

— Mas e...

Ele nem está me escutando porque a garota, não dá pra ver muito do rosto por causa do cabelo longo e castanho, está sussurrando no ouvido de Vic.

— O que foi, *chérie*? — ronrona ele. Ela sussurra novamente. — Ah, você é mesmo uma menina má.

Depois ele se vira para mim de um jeito rápido e formal.

— Você vai ficar bem. Logo vai amanhecer. — Ele põe a mão no casaco. — Tome 20 libras para voltar para casa.

Desço a escada.

— Achei que podia contar com você.

— Ah, mas você não precisa contar comigo — diz Vic, enquanto tenta empurrar a nota de 20 para mim. — Você é uma mulher poderosa. Uma guerreira.

Ele está me devolvendo minhas próprias palavras, o que é enfurecedor.

193

— Agora eu preciso levar essa jovem para casa porque ela não é uma guerreira. — Ele balança as sobrancelhas para a garota, e pela maneira como ela ainda está agarrada em Vic, parece que nem consegue andar sozinha. — Mas a gente se divertiu, Sun. Foi real. Vamos repetir a dose depois.

Ele me empurra a nota de novo, e aceito porque não estava mentindo quando disse que precisava de dinheiro para voltar para casa.

— Bem, tchau então — digo. — Não acredito que vai me deixar na mão.

Vic encosta no meu queixo enquanto a garota que ele escolheu empurra o cabelo longo para trás para poder me fulminar com o olhar. Pelo menos, *eu* não tenho pontas duplas.

— Você vai ficar bem — repete ele, e depois vai embora.

E eu estava bem, mas agora não estou. Meu celular está sem bateria. Eu me desentendi com Emmeline e me desentendi com Jean-Luc e os afastei com minha busca obsessiva por Mark, que evaporou mais uma vez; nem sei onde está Flick e agora Vic me abandonou também.

Estou sozinha do outro lado de Londres, mas, na verdade, nem sei exatamente onde estou; estou cansada, minhas pernas estão doendo e estou desanimando rapidamente. Então tudo que quero fazer é ficar em posição fetal no chão. Sento na escada porque, ao invés de ser durona e determinada, agora eu sou a garota que senta na escada e chora durante uma festa. Não estou chorando, mas sinto que as lágrimas estão chegando, e depois escuto alguém dizer:

— Sunny?

Quando olho para cima, vejo uma loira parada. Bonita. Usando uma camisa branca colada e short preto. Mordendo o lábio inferior enquanto vê meus olhos a observarem rapidamente dos pés à cabeça. Eu a conheço de algum lugar, só não sei de onde.

— Não acredito que é você. *Aqui.* — Ela tem uma daquelas vozes esnobes e fala de um jeito tão articulado que parece estar falando outra língua. Depois seu rosto endurece, como se alguém tivesse jogado cera nas suas feições. — Você me chamou de vaca!

— Desculpe. Quem é você?

— Vou dizer o que eu não sou. Não sou uma vaca — diz ela furiosamente, e agora tudo está começando a fazer sentido. — Eu estava apenas beijando meu namorado. Não sabia que ele também era seu namorado.

DOIS SEGUNDOS DEPOIS

Eu me contraio e olho de novo, só para ter certeza. Olho as pernas longas e o short curto, e é só quando imagino a mão de alguém deslizando pela sua cintura que percebo quem ela é. Sou tomada por uma vontade de acariciar meu queixo de uma maneira pensativa e dizer, "Finalmente nos encontramos", como se eu fosse um vilão do James Bond, mas consigo me segurar. Em vez disso, digo hesitantemente:

— Tabitha?

— Quem mais eu seria? — Ela põe as mãos nos quadris. — E só para você saber, eu uso short porque minhas pernas são a única parte bonita. Se eu as mostro, ninguém percebe o restante.

— Está falando sério? Você é linda. Não tem espelho na sua casa?

Dou uma olhada no hall de entrada. Está ficando claro, e tenho certeza de que Tabitha consegue se ver nas muitas superfícies reluzentes. Não percebi quando estava olhando as fotos porque tudo que eu via era a mão de Mark na sua bunda, o beijo, a outra mão dele no cabelo longo, loiro e superbrilhoso da garota, mas Tabitha é linda. Olhos grandes, nariz minúsculo, boca pequena... aposto que ela nunca precisa tirar uma selfie atrás da outra, inclinando o rosto de várias maneiras, até uma ficar aceitável o suficiente para postar. Aposto que toda selfie que ela tira é perfeita.

— Não sou mesmo. Duas amigas minhas do colégio são modelos, e minha mãe era uma *Bond girl*. Eu sei o que é beleza, e não é isso. — Tabitha aponta para o rosto, que é incrível e agradável esteticamente.

— Mas achei que talvez eu fosse um pouco bonita quando Mark quis ficar comigo. Ele é bonito.

Ela parece triste. Como se, apesar de tudo, ainda o amasse. Eu entendo o que ela está sentindo.

Dou um tapinha do meu lado, e Tabitha se senta.

— Mark chegou de repente no nosso colégio e ficou popular imediatamente, e todo mundo gosta dele, e, quando percebi que ele estava interessado em mim, eu também me senti popular e descolada — conto a Tabitha, apesar de ser algo que jamais revelei a Emmeline. — É o que eu faço, sabe, eu me agarro em pessoas que são legais e espero que um pouco passe para mim.

— Mas você é legal! — Tabitha estende a mão, o que deve ser para mostrar o quanto sou legal. — Passei a noite inteira odiando você. Não só porque achava que você estava tentando roubar Mark de mim, e porque me chamou de vagabunda, mas porque depois que eu terminei com Mark, encontrei Flick e ela estava dizendo "Ah, Sunny é tão legal", e depois ela me mostrou o vídeo de você dançando Charleston num supermercado. Aquilo foi muito legal. E você é mestiça ou algo assim, então só por isso você já é mais legal que a maioria das pessoas.

— Você não pode dizer coisas assim. Está sendo muito racista — retruco.

Ela ergue as mãos, protestando.

— Mas eu estava elogiando você! Como isso é racismo?

— Você não pode fazer generalizações a respeito das pessoas com base na raça ou na cor da pele. É como se eu dissesse que nenhum branco sabe dançar. Enfim, nem todos os negros são legais. Minha avó não é, disso eu tenho certeza.

Nós duas estamos irritadas.

— Desculpe — pede Tabitha, bufando um pouco. — Mas eu acho você legal, e Mark é legal, então faz sentido ele ficar a fim de você, já que é DJ etc.

Eu dou uma risada tão grande que um pouco de catarro sai voando do meu nariz, mas acho que Tabitha não percebeu.

— Vou te contar uma coisa sobre o suposto trabalho de DJ de Mark. Ele baixa playlists de DJs na internet e, quando recebe um suposto trabalho, só liga o iPad no sistema de áudio e clica duas vezes. Ele nem tem controlador de som. DJ uma ova!

— Então, tipo, você não sente mais nada por ele? — pergunta Tabitha.

Eu dou uma rápida checada no coração. Ele ainda está no lugar. Está batendo rápido, pois recebeu um choque atrás do outro naquela noite, mas não está doendo no peito como antes.

— Eu ainda sinto algo por ele, mas é mais um sentimento assassino que qualquer outra coisa.

Não sobrou nem um pingo de amor por Mark dentro de mim. Se superei isso tão rapidamente, talvez não fosse um amor verdadeiro. Mas como eu poderia chamar de amor se o garoto que eu amava mentia para mim em cada beijo, em cada elogio, cada vez que segurava minha mão?

Olho para Tabitha.

— E você?

— Não. Nós tivemos a maior briga quando Flick me mandou aquela mensagem falando das duas contas que ele tinha no Facebook. Ele tentou negar tudo. — Ela cora e fica mexendo nas cutículas. — Depois, quando já era óbvio que eu ia acabar com ele em segundos, ele acabou *comigo*. — Ela funga, como se estivesse prestes a chorar, e eu sei como é isso. — Foi tudo do nada. Achei que eu e Mark estávamos bem, sabe? E de repente acabamos, já era, tipo, nem adiantaria se ele me implorasse para voltar. É impossível ficar com um garoto que trata as pessoas como ele tratou a gente. Minha mãe já está no quarto marido. Não quero ser como ela.

Estou prestes a ficar com pena dela e quase falando mal de Mark mais um pouco, mas então escutamos uma voz gritando de algum lugar:

— Todo mundo pra fora! A polícia está chegando!

Nós duas levamos o maior susto. Ponho a mão no coração, que está a uma velocidade perigosa.

— *Hein?*

— Meu Deus! — diz Tabitha, também colocando a mão no coração. — O interfone da casa deve estar conectado a um sistema alto-falante escondido — diz ela, com a voz menos estridente. — Também temos um em casa, mas não é assustadoramente alto como este.

— A polícia está chegando, isso já é assustador o suficiente — digo.

Pressiono os cotovelos no corpo e tento me encolher o máximo possível para não ser atropelada pelas hordas de pessoas que, de repente, correm escada abaixo. Mais gente se junta a elas vindo de todas as direções, todas indo para a porta e se empurrando para fora do caminho. Todas estão em pânico, e muitas gritam e berram, e sinceramente é a coisa mais empolgante que aconteceu desde que cheguei aqui.

Eu me levanto, preparada para me juntar ao engarrafamento que se formou na porta da frente — as coisas não terminariam bem se a polícia chegasse e eu fosse a única pessoa representando uma minoria étnica —, mas Tabitha agarra minha mão.

— Por aqui — diz ela, me puxando por uma pequena porta lateral e depois por um pequeno corredor. — Pela ala dos criados.

Chegamos a outra porta, que se abre para uma segunda cozinha menor e mais simples, e saímos pela porta dos fundos até um pequeno quintal. Tabitha destranca o portão que vai dar num beco na lateral da casa. Estamos fora de perigo.

— Muito legal, Tabitha — digo, e ela sorri.

— Minha melhor amiga da escola preparatória morava aqui. Não sei quem mora agora, nem de quem era a festa, mas *eu* moro a algumas ruas daqui. Você pode dormir lá em casa.

— Ah, não posso.

Seria estranho demais. A noite inteira foi cheia de coisas estranhas, mas dormir na casa da outra namorada (tecnicamente ela era ex-namorada, mas há apenas algumas horas) de meu namorado seria outro nível.

— Mas precisa dormir lá. Está a quilômetros de casa — diz ela, enquanto começamos a andar. — Como é morar no norte de Londres?

Ela fala do norte de Londres como se fosse um terreno baldio distópico. Conto a ela sobre Crouch End. Sobre nossa rua com o campo secreto no fim e os bolos de Dunns, os padeiros, e que aquele cara que faz o papel de Doctor Who morava na rua de Archie, mas Tabitha só faz engolir em seco e responder:

— Então você mora num apartamento. Não numa casa?

— Na verdade, acho que é uma casa pequena — digo, e ela engole em seco novamente. — Você sabia que Mark também fica num apartamento quando está no norte de Londres?

Tabitha suspira.

— Então, o que a gente vai fazer com ele? Devíamos fazer algo, não é?

— Vou acabar com ele — digo, e fico aliviada ao perceber que a Sunny de antes ainda está aqui. — Topa?

— O problema é que não sou muito boa com conflitos — comenta Tabitha. — Odeio fazer barraco e ver alguém zangado comigo, então eu topo em espírito, mas não vou conseguir ajudar muito nisso de acabar com ele.

— Ah. — Tudo bem. Nos meus planos ainda confusos de acabar com Mark, eu não planejava contar com uma parceira, mas acho que teria sido legal. — Bem, eu acho...

— Mas eu tenho os meios para ajudá-la a acabar com ele. — Tab remexe na bolsa e pega um celular. — O celular dele.

Ela o ergue para que eu veja o emblema do Chelsea FC na capa de borracha.

Ela está brincando? Será que era mesmo um blefe duplo no fim das contas? Paro imediatamente. Ponho as mãos nos quadris, franzo a testa; Jean-Luc estaria me processando por direitos autorais, e fico ainda mais zangada quando lembro que o arrastei nessa perseguição inútil, e para quê? Claro que ele foi embora furioso.

— Acha que sou burra?

Tabitha faz cara de que vai vomitar. Ela tinha razão sobre não gostar de conflitos.

— Eu-eu-eu não acho que você é burra.

— Esse não é o celular de Mark. O celular dele tem uma capa do Arsenal — digo.

— Mas Mark não torce para o Arsenal. Ele torce para o Chelsea.

Ah. Ah! Terry diria que torcer para o Chelsea seria a pior traição de todas, mas Tabitha e eu não concordaríamos. Nós duas olhamos para o celular e depois uma para a outra.

— Dois celulares! — exclamamos.

Eu estava me perguntando como Mark, logo Mark, conseguiu enganar duas namoradas e até manter duas páginas do Facebook com senhas diferentes durante meses, e agora a resposta estava na minha cara. Dois celulares.

Era algo que fazia sentido de uma maneira estúpida e doentia.

— Que babaca. Que babaca nojento e enganador.

Tabitha funga.

— Ele puxou ao pai, obviamente.

— Como é? Eu sei que os pais dele se divorciaram, mas o que tem o pai dele?

Tabitha parece que vai explodir de tantos segredos que sabe sobre Mark.

— Foi o maior escândalo — começa ela ofegante. — Ele comandava a divisão de administração de bens de um grande banco americano... e se envolveu em alguma espécie de abuso de informação privilegiada. Não foi tão privilegiada, pois ele acabou fazendo alguns investimentos péssimos. Péssimos. Ele foi demitido. Meu padrasto disse que ele teve sorte por não ter sido preso, e eles tiveram de vender a casa, e Mark precisou sair de Harrow...

— Ele disse que o pai não queria pagar a escola depois que se divorciou. E de todo jeito parecia que ele não se enturmava muito por ser rebelde.

— Que nada! Ele era o capitão do time de rúgbi.

— Mark não joga rúgbi. Ele joga futebol.

Nós duas nos entreolhamos novamente e balançamos as cabeças.

— Que mentiroso que ele é. Mas eu me sinto um pouco mal por eles terem perdido todo o dinheiro. Por isso a mãe dele é tão amargurada e malvada.

— Ah, não. — Tab me assegura. — Ela já era amargurada e malvada muito antes de eles perderem todo o dinheiro.

Continuamos andando.

— E por que está com o celular dele pra começo de conversa?

Tabitha sorri orgulhosamente.

— Eu roubei do bolso de trás da calça jeans de Mark. Ele nem percebeu. — Ela mexe os dedos. — Sou a melhor ladra de lojas de St. Mary's.

— Bem, não quero ser cúmplice nem ajudar no crime...

— Sunny! Se está mesmo com essa missão de vingança para acabar com Mark, precisa do celular. — Tabitha empurra o celular para mim, então não tenho escolha. — Confie em mim.

Sinto o peso do celular na palma da mão. É tentador, mas...

— Nem sei a senha.

— Eu sei. É um, dois, três, quatro. — Tabitha revira os olhos. — Só por isso ele merece ter o telefone invadido, e tem coisas aí que a gente pode usar para se vingar.

Não vou mentir, estou intrigada.

— É? Que tipo de coisas?

Nós nos sentamos num muro baixo que contorna os gramados bem-cuidados de uma quadra de mansões, e Tab destrava o celular, abre as fotos e...

— Meu Deus! Por que ele tirou tantas fotos do próprio pinto?

Tabitha dá uma risadinha e continua passando as fotos.

— Não, espere. Tem uma em que ele colocou óculos escuros nele. Veja.

— Ecaaaa!

— A gente poderia mandar para todos na lista de contatos, o que acha? — sugere Tabitha. — Incluindo suas avós, seu professor e sua babá.

Esfrego as mãos de alegria.

— Isso! Vamos fazer isso... ah, mas não. Não é justo com as avós. Quero dizer, algumas coisas não têm volta, e ele é menor de idade.

— E daí?

Estremeço só de pensar.

— Nós seríamos presas por divulgar pornografia infantil. — Pior ainda. — E seríamos incluídas na lista de Criminosos Sexuais, e isso afetaria muito a probabilidade de a gente entrar nas universidades que mais queremos.

— Tem razão. — Tabitha se acalma com um pequeno suspiro. — Mais alguma ideia?

— Bem, de todo jeito, primeiro, eu tenho de encontrá-lo. Ele não está ligando pra mim do seu celular do Arsenal, né?

E assim que nos afastamos do muro, o celular de Tabitha toca. Meu coração para.

— Mãe? Por que está gritando comigo? Ah, meu Deus! Estou em casa. Bem, estou indo pra casa. Estou a, tipo, cinco segundos de casa.

Então não é Mark. Se minha mãe não estivesse na França, ela também estaria me ligando e perguntando por que são cinco da manhã e eu *ainda* não estou na cama. Na verdade, ela provavelmente teria chamado a polícia e a Interpol com helicópteros e drones para me encontrar.

Tabitha caminha, fala e revira os olhos de um jeito exagerado enquanto escuto uma voz gritando com ela.

— Meu Deus, não é *tão* tarde assim. Tá, pode até ser, mas você pode pensar de outra maneira e achar que está muito cedo.

Está cedo e quase claro do lado de fora. O céu está com um belo tom de azul-claro. Pássaros cantam nas árvores. Tem uma brisa, mas já sinto que vai ser outro dia quente.

Não tem nenhum sinal de vida nessas ruas com grandes casas pintadas de cores fantásticas: amarelo-gema, um tom verde-água que me faz pensar na piscina pública da década de 1930 que frequentamos todos os dias nas nossas férias do ano passado na França, um roxo sujo, rosa cor de xarope, um azul, escuro e sombrio, que me lembra da coleção de porcelana Wedgwood de minha avó.

— Mamãe! Meu Deus! Estou praticamente entrando em casa.

Nem sei onde estamos, e nem dá para eu abrir o Google Maps e depois me perguntar o que as pessoas faziam antes de o Google Maps existir — elas deviam se perder o tempo inteiro. Depois viramos numa esquina e em outra, e, de repente, reconheço onde estou.

Não estamos em Chelsea de maneira alguma, mas em Notting Hill, o que significa que, apesar de eu estar a quilômetros de Crouch End, não estou tão longe de casa.

RECEITA DO PONCHE DE ABACAXI DA VOVÓ PAULINE

1 litro de leite integral
1 lata (400 ml) de leite de coco
1 litro de suco de abacaxi
1 pitada de gengibre
1 pitada de canela

Misture tudo na maior tigela que tiver e sirva com muito amor.

5h30

De NOTTING HILL a LADBROKE GROVE

A primeira menção oficial ao lugar que conhecemos como Notting Hill é de 1536, como Knottynghull, e pode ser uma referência a um rei saxão chamado Cnotta. Aposto que, com esse nome, ele era muito, muito divertido.

No século XIX, a região era conhecida extraoficialmente pelas criações de porcos e pelas olarias. A cerâmica vermelha do local era usada para fazer tijolos e telhas, e muitos criadores de porcos mudaram-se de Marble Arch e fixaram residência no local.

A família Ladbroke, de onde se origina o nome Ladbroke Grove, construiu diversos tipos de mansões elegantes em Notting Hill, mas as pessoas muito ricas não queriam morar tão longe do centro. Coitadinhos.

Logo a região foi tomada pelos senhorios de cortiços que entupiam uma única casa com várias famílias. Depois, nos anos 1950, imigrantes das Índias Ocidentais fixaram residência na área, o que causou tensões raciais e motins.

As moradias ruins começaram a melhorar com a criação dos conjuntos habitacionais de Notting Hill em 1936 e o primeiro Carnaval de Notting

Hill, *que celebrava a cultura dos novos residentes da área. Hoje, ricos e pobres, mauricinhos e rastafáris, moram lado a lado alegremente (ou quase).*

Tabitha e eu nos abraços e combinamos de nos encontrar para nos atualizar depois que acabar toda a história com Mark. Em seguida, ela segue seu caminho, e eu sigo o meu.

Estou em Ledbury Road e, se eu continuar em frente, virar à direita duas vezes, depois à esquerda e ir direto, vou chegar ao prédio dos meus avós. É uma caminhada de 15 minutos, no máximo. Quinze minutos bastam para a pessoa ir do bairro multimilionário de Notting Hill a um conjunto habitacional de Ladbroke Grove.

Já fiz esse caminho muitas vezes com minha mãe ao longo dos anos. Passamos muito tempo nas lojas de antiguidades para ela zombar da margem de lucro. E, naquela época, a gente parava no que era o apartamento de minha bisavó para tomar um chá, comer o bolo de frutas que ela sempre fazia, e para ela dizer que devíamos ter ligado antes porque estava passando *Deal or No Deal*.

Agora o apartamento é de meus avós, e, caramba, como eles vão ficar surpresos ao me ver na porta. Como todas as pessoas velhas, tirando a mãe de Terry que fica na cama até as 11h na maioria dos dias, eles acordam muito cedo. Vovô trabalha no primeiro turno na garagem de ônibus de Park Royal, e vovó é uma cuidadora que começa seu turno às seis da manhã. Porém, é domingo e nenhum deles trabalha aos domingos, pois é o dia de descanso. "Se Deus quisesse que nós trabalhássemos aos domingos, ele não teria inventado o sabá", vovó adora dizer, mas eles acordam assim que amanhece de todo jeito. E se Deus quisesse que a gente acordasse cedo num domingo, ele nunca teria inventado o dormir-até-tarde.

A noite foi tão longa que é difícil acreditar que já é de manhã. Já estive acordada às cinco e meia da manhã antes, mas foi o contrário: eu acordei cedo para ver o amanhecer quando minha mãe teve um de seus desejos e nos arrastou para Parliament Hill Fields. O clima de cinco e meia é completamente diferente quando a pessoa não dormiu: é um clima nojento, sujo, encardido que só é conquistado quando se está usando a mesma calcinha há quase 24 horas.

Como agora é oficialmente de manhã, tento me convencer de que as pessoas que vejo ocasionalmente na minha frente ou do outro lado da rua são pessoas virtuosas que gostam de acordar cedo, e não alguém que virou a noite aprontando. Também tento me convencer de que não preciso andar muito, mas todo passo que dou pede toda a minha energia, dura pelo menos um minuto e dói em tudo.

É melhor eu não focar em quantos passos ainda preciso dar (cerca de 750, pela minha estimativa). Em vez disso, penso no que vou dizer para minha avó. Algo do tipo: "ah, não consegui dormir e pensei em fazer uma surpresa para você, então surpresa!". E depois vou ter de dizer: "na verdade, sobre isso de ir à igreja, bem, não estou com roupa adequada e estou duvidando seriamente da religião organizada".

No final, meus protestos serão ignorados. Vovó vai preparar um banho para mim, e vovô vai fazer torradas com ovo, e depois vão insistir para que eu vá à igreja com eles. Existe uma pequena chance de que eles olhem para mim — eu devo estar com uma aparência terrível a esta altura — e me mandem dormir, ou talvez eu possa ir para minha própria cama, o que demoraria, pelo menos, uma hora. PELO MENOS.

Paro imediatamente para refletir sobre meu dilema, e é então que o primeiro passa por mim. Paro e pisco os olhos, sem reação. Talvez eu esteja alucinando. E depois passa lentamente o segundo, e depois mais um, e vejo toda uma procissão de veículos. Caminhões plataforma que parecem aves-do-paraíso e flores exóticas. Ônibus abertos decorados com lantejoulas e brilhos. Se eu escutar muito cuidadosamente, quase consigo ouvir os tambores de aço e ver aquelas belas mulheres que parecem borboletas dançando no ritmo.

Como eu pude esquecer? É o fim de semana do carnaval! Na segunda do feriado bancário, todos nós vamos para a casa de meus avós, pois o apartamento deles fica na rota do carnaval de Notting Hill. Todos os meus tios, tias e primos, consanguíneos ou não, todos os muitos amigos dos meus avós e as senhorinhas de quem minha avó cuida e os colegas de trabalho do meu avô que não estiverem trabalhando se aglomeram no apartamento deles, assistem à passagem dos carros alegóricos, tomam o lendário ponche de abacaxi de vovó e comem seu frango frito.

Porém, isso vai ser amanhã, e agora Notting Hill ainda está de ressaca da festa de ontem. Os carros não estão passando na rua porque ela ainda está interditada. A maioria das vitrines foi coberta com tábuas de madeira. Tem uma montanha de sacos de lixo cobrindo a calçada, esperando ser recolhida pelos garis, que devem estar presos atrás da procissão imponente de carros alegóricos voltando para o início da rota do Carnaval.

E os carros não param de passar. Um caminhão coberto de serpentinas amarelas, vermelhas e verdes. Outro de sorvete todo decorado. E um que parece uma floresta tropical, com tambores de aço em cada lado.

Os carros alegóricos têm algo de etéreo. Olho para eles sem acreditar, pois realmente parece que o universo criou este sonho, esta miragem, só para mim, apesar de eu ainda não ter descartado a possibilidade de que seja uma alucinação.

Sorrio, mas, ao mesmo tempo, por algum motivo estranho, eu meio que quero chorar, e depois vejo um homem num carro alegórico prateado acenando loucamente, com a careca brilhante refletindo à luz da manhã.

— Sun-ra! Sunny! É você, garota?

Ele se inclina para a frente a fim de conferir se sou mesmo eu, e depois estende a mão. Eu caminho com dificuldade em sua direção. Preciso correr para acompanhar o carro, mas, quando o alcanço, estendo a mão e meu tio e outro homem me ajudam a subir.

— Sunny! O que diabos está fazendo pelas ruas às cinco da manhã? Passou a noite inteira acordada? Que pergunta idiota, claro que passou. Olhe só como você está!

— Suja — diz o rapaz que me ajudou a subir.

Como se eu precisasse de confirmação. Não preciso mesmo.

Até o ritmo lento e sedado do carro alegórico me deixa tonta. Dee agarra meu braço para me equilibrar. Ele não está muito contente em me ver assim. Na verdade, Dee está muito parecido com meu pai quando ele interroga uma testemunha hostil. Não quero que Dee me olhe assim, não quando esbarrar com ele foi a melhor coisa que me aconteceu em horas.

— Pode me dar um abraço, por favor? — peço.

Minha voz está toda trêmula e ainda acho que vou chorar, mas então os braços de Dee me cercam e meu corpo encosta na sua camiseta branca, e ele está com cheiro de amaciante e manteiga de cacau e é quase tão bom quanto chegar em casa sem a jornada de PELO ME-NOS UMA HORA que eu realmente precisaria fazer para chegar.

O abraço não dura o suficiente, e Dee me solta, mas só para poder colocar as mãos nos meus ombros e analisar meu rosto. Por onde escorreu suor, maquiagem, lágrimas e cerveja em vários momentos da noite, e que agora dói só com o mero esforço que preciso fazer para piscar os olhos, inspirar e expirar.

— O que aconteceu?

— Ah, nada. Não consegui dormir. Pensei em fazer uma surpresa pra vovó — murmuro.

— Até parece. Quer mais um tempo pra pensar na sua desculpa? Passou a noite inteira acordada, não foi? Com aquele babaca que não sabe o que é Trojan Records? E depois ele deixou você andando nas ruas sozinha?

— Ele me deixou bem antes disso — digo, e fungo.

Mas é estranho. Não tenho mais energia para chorar. O que é novidade.

— O que ele fez? — pergunta Dee. Ele consegue ser bem assustador quando está interrogando alguém. Ele é um assistente social que trabalha com jovens criminosos ("Que estão lá pela graça de Deus",

211

sempre diz ele), e, se ele faz esta cara para eles, aposto que não se atrevem a cometer outro crime. — Ele machucou você? Se ele a machucou, vou matá-lo.

A voz baixinha de Dee é pior que qualquer pessoa gritando comigo.

— Ah, não desse jeito. Não! Mas ele machucou muito, muito por dentro. Meu coração e tal. Mas agora eu só estou é muito zangada. Mas estou cansada demais para ficar zangada.

Estou cansada demais para entrar em detalhes, então só faço dar um resumo para Dee, sem mencionar os detalhes de menores com bebidas alcoólicas, o roubo de bicicleta e qualquer outra coisa que enfraqueceria minha defesa.

— E quando percebi onde estava, achei melhor ir pra casa da vovó.

— Não pode ir pra casa da minha mãe, Sunny! — exclama Dee. — Ela vai arrancar a verdade de você, depois vai obrigá-la a ir à igreja como penitência, e você sabe que ela vai entregá-la e contar a verdade para sua mãe. — Ele sorri. — Que horas você devia ter chegado em casa mesmo?

Estou cansada demais para lançar um olhar furioso. O máximo que consigo fazer é um bico desanimado.

— Nos feriados varia, e também ela *não* disse que eu não podia passar a noite inteira fora. Ela estava mais preocupada com as glândulas anais de Gretchen Weiner e com a possibilidade de eu fazer uma festa, postar os detalhes no Facebook, e duas mil pessoas aparecerem lá em casa para acabar com o lugar. Então, considerando tudo, passar a noite fora não foi *tão* ruim assim.

— Mas também não é bom.

Suspiro.

— Como se você nunca tivesse passado a noite fora quando era da minha idade. Ou algo pior.

Ele abaixa a cabeça.

— É verdade.

212

Meu pai era o aluno excelente, mas Dee parece ter se divertido bem mais quando adolescente. Talvez ele tenha se divertido até demais.

Minha história preferida de Dee, que ele só me contou porque tinha bebido muito rum com coca no último Natal, é sobre o dia em que terminou participando dos protestos contra o Imposto Comunitário no fim dos anos 1980. Não sei o que é Imposto Comunitário nem por que o protesto foi diferente dos outros, mas na época Dee trabalhava na loja Tower Records em Piccadilly Circus. No almoço, ele saiu para pegar um sanduíche, viu que as pessoas estavam protestando, decidiu se juntar a elas e, quando voltou ao trabalho, foi demitido na hora porque foi visto por alguém ao jogar um tijolo numa das janelas da Tower Records.

Minha bisavó chamou o pastor e todos se ajoelharam no tapete da sala para rezar pela alma de Dee.

Imagino que a reza deve ter funcionado, pois hoje em dia ele é um cidadão exemplar, mas não de um jeito babaca. Tipo, hoje em dia ele inclina a cabeça, reflete e diz:

— Bem, não cabe a mim contar para sua mãe, e você não está num estado adequado para lidar com sua avó, então é melhor ir pra minha casa.

QUINZE MINUTOS DEPOIS

Dee e sua esposa, Yolly, moram com Vivvy, a enteada de Dee, e meus primos, Elle e Perry, no mesmo conjunto habitacional que vovó.

Quando Dee destranca a porta de casa e eu entro no corredor, que é apenas um corredor, sem entrada nem vestíbulo nem galeria de arte, o ar está pesado e abafado. Dee diz que o Carnaval ainda estava acontecendo quando os outros foram dormir, e o barulho era alto demais para que dormissem de janelas abertas. Ele as abre agora, e eu quero dormir, e quero muito tomar um banho, porém o mais importante de tudo é carregar meu celular.

— Vou dormir. Passar a noite inteira acordado era bem mais fácil quando eu tinha sua idade. — Dee balança a cabeça e faz um muxoxo porque sentei no sofá, minha cabeça está se afundando nas almofadas e é bem difícil ficar na vertical. — Você... você é peso-leve.

— Engraçado, pois estou me sentindo um peso morto. — O sofá está me engolindo. Eu me apoio nos cotovelos. — Posso tomar um banho?

Dee diz que posso, mas sem fazer barulho para não acordar Yolly, pois ela me mataria e, neste caso, Dee não poderia fazer nada para impedi-la, e que depois eu posso dormir no quarto das meninas.

Tirar minhas roupas encardidas e tomar uma ducha morna de dois minutos me faz tão bem quanto dez horas de sono. Coloco a camisola pendurada atrás da porta do banheiro e entro silenciosamente no quarto das meninas.

O sol está atravessando as cortinas, e eu sinto ânsia de vômito com o fedor do perfume de almíscar da Body Shop com notas de base de spray de cabelo e massa de modelar. A metade do quarto de Vivvy é um altar para Jourdan Dunn, e a de Elle é lotada de brinquedos de plástico cor-de-rosa. Imagino que Vivvy, de 14 anos, deve ficar furiosa por ter de dividir o quarto com Elle, de três.

Penso nas minhas alternativas e decido que é melhor apostar na cama de Elle. Ela não acorda com nada. Uma vez, quando eles estavam de férias na Espanha, o alarme de incêndio do hotel disparou e ninguém conseguiu acordar Elle. Quando voltaram para a Inglaterra, Yolly a levou para fazer um teste de audição. A audição está ótima, a única questão é que ela ama muito, muito, muito dormir. Ela está coberta com um lençol florido e cor-de-rosa, com um punho cerrando-do e descerrando, bochechinhas gordas se enchendo a cada exalação, pois ela respira pela boca. Ela nem se mexe quando eu a empurro e deito na cama.

Isso vai ser ótimo. Vou dormir muito. Talvez eu durma tanto que só acorde na segunda, quando for hora de ir para a casa da vovó.

Pois é, pode vir, sono, pode mostrar quem você é.

Apoio a cabeça no travesseiro de Elle, respiro fundo algumas vezes, e minhas pálpebras estão se abaixando, meus braços e pernas relaxando. Ah, que maravilha, é disso que eu estava falan...

UM MINUTO DEPOIS

Escuto uma abelha zangada zumbindo em algum lugar do quarto. Parece estar bem do meu lado, e eu devia estar tão cansada que nem uma abelha zangada interromperia meu sono, mas ela está bem aqui. No meu ouvido. Como se estivesse prestes a me picar. Nunca fui picada por uma abelha, nem por uma vespa, então seria a maior sorte ter uma alergia fatal à picada. Feito Macaulay Culkin em *Meu Primeiro Amor*.

— CALE A BOCA! — Abro um olho e rolo para o lado. Vivvy está sentada. — DESLIGUE ISSO!

— Desligar o quê? — resmungo.

— Seu celular. Mas primeiro diga a quem quer que esteja mandando mensagem para CALAR A BOCA!

— O quê?

Vivvy deita de novo para poder agitar os braços, furiosa. Ela é pior que Yolly quando é acordada antes da hora. Agora, ela está com tanta raiva que seu corpo parece se debater.

— Vou sair da cama e *pisar* no seu celular — sussurra ela. — Eu juro.

— Meu celular está carregando lá embaixo.

— Então. Que. Barulho. É. Este?

— Hum, uma abelha zangada?

— Ah, porra! — exclama Vivvy.

Vivvy joga os lençóis para trás, e suas pernas ficam presas neles, o que faz sua raiva aumentar um bilhão de vezes. Depois, ela consegue sair da cama e dá os sete passos até meu lado de maneira furiosa. Eu me encolho. Vivvy está com tanta raiva que não sei o que ela vai fazer.

— Seu celular. Na sua bolsa. Aqui dentro.

215

É como se a parte irritada do seu cérebro tivesse dominado a parte que forma frases inteiras.

Olho minha bolsa, que soltei no chão ao lado da cama.

— Meu celular não está aqui dentro — insisto, mas pego a bolsa, e ela faz um zumbido de novo. — Que estranho.

— Ah, meu Deus, como odeio você!

Vivvy agarra a bolsa de meus dedos fracos, enfia a mão dentro dela, remexe um pouco e tira um celular.

Estou prestes a dizer que não é meu e depois me lembro de quem é o celular. É de Mark.

— Ah, esse celular — digo baixinho.

Vivvy faz um grunhido com o fundo da garganta, e eu me encolho ainda mais, quase empurrando Elle para fora da cama.

Milagrosamente, Elle ainda está dormindo. Acho que Yolly precisa conferir sua audição de novo.

— É o celular do meu namorado — digo para Vivvy, que está parada com seu pijama de estampa de cupcakes e trancinhas no cabelo. — Ex-namorado.

Ela fica me encarando como se nem soubesse quem eu sou. Depois parece que o demônio que a possuiu decidiu atacar outra vítima, e ela abre um sorriso sonolento.

— Ah, Sunny. Seu cabelo fica bonito grande. — Ela gesticula para o celular. — Esse é o namorado que nem sabia o que é Trojan Records? Dee disse que ele era um babaca.

— Obrigada — agradeço.

O sono me abandonou. Não entendo como consigo ficar acordada por quase 24 horas e ainda controlar todas as minhas faculdades mentais. Ou cerca de 83% delas. Agora só consigo pensar no celular de Mark e no que vou fazer com ele. Bem na hora certa, ele zumbe outra vez.

Linda. Não fique com raiva. Vamos resolver as coisas. bjs Mark

Ele está mandando mensagens para o próprio celular, então de que linda ele está falando? Será que ele sabe que Tab roubou seu celular? Ou será que ele está achando que é alguma *outra* garota com quem ele estava ficando sem eu e Tabitha sabermos? Ou talvez ele tenha algum transtorno de personalidade (pois é, faz sentido) que faça ele mandar mensagens de desculpas para si mesmo.

— Desculpe eu ter ficado zangada. Eu falei palavrão? Não conte para minha mãe se eu tiver falado, tá? — Vivvy volta para a cama. — Sério, seu cabelo está *tão* grande. Desliga o zumbido do seu celular, tá?

E depois ela já era. Sua cabeça colide no travesseiro, e ela pega no sono. Eu a odeio momentaneamente só porque ela consegue dormir com tanta facilidade, mas não tanto quanto odeio Mark. E Tab tinha razão, se compararmos ao que ele fez, roubar sua senha e ter total acesso a seu celular não é nada.

Começo com as mensagens que chegaram nos últimos cinco minutos.

Ei, Tab, sua ladra! Tá com meu celular?

Tab! Sei que está com raiva de mim, mas roubar meu celular é errado.

Nós dois dissemos coisas. Aquela Sunny é pirada. Não acredite no que ela disse para Flick. Flick adora criar encrenca. A gente já conversou sobre isso. Não deixe ela se intrometer no nosso namoro.

Ainda amo vc. Sei q vc me ama. Me responda!

Linda, me desculpe mesmo, mas preciso do meu celular o mais rápido possível.

Essa oportunidade é boa demais para desperdiçar.

217

Mark passou a noite inteira brincando comigo. Errado, Sunny! Muito errado. Ele está brincando comigo há meses, e ainda tenho de percorrer todo um mundo de mágoas. É o que vou precisar fazer para superar tudo isso. Mas agora não é a hora certa. Agora é a hora da vingança.

Meus polegares encostam no teclado.

Ainda com raiva de vc. N sei se merece o celular de volta.

Ele responde imediatamente.

Linda! Depois de tudo que passamos. Não quero brigar. Onde vc tá? Preciso muito do celular.

E as 2 páginas no Facebook? Só um mentiroso tem 2 páginas.

Não é nada. Uma página para minha galera e outra para a ralé do norte de Londres. Só coloquei Sunny no meu status de relacionamento para ela parar de encher o saco. Juro.

Nunca ficou com ela?

Nunca! Prefiro baunilha a chocolate.

Inspiro pela boca. É o que acontece quando você pergunta coisas e não quer saber as respostas. Meu coração lateja, avisando que ainda está sensível e machucado, e que não aguenta mais sofrimento.

Kd vc?

Putney. Mas preciso muito do celular, linda. Não pode pegar um táxi?

O que Mark estava fazendo em Putney? Meu Deus, se tivesse ficado num lugar só, essa noite teria acabado antes das onze da noite. Teria ido até Camden, conhecido Tab, dado um pé na bunda dele e ido para casa. Não teria sido uma história tão boa, mas agora eu estaria na minha sexta hora de sono em vez de me sentir como se alguém tivesse arrancado minhas entranhas e colocado um monte de meias velhas e mofadas no lugar.

Porém, antes tarde do que nunca.

Não vou para Putney. Até parece!

Linda! Preciso pegar trem para Godalming para o grande almoço familiar. Não me obrigue a voltar para o centro. Por favor!

Elle suspira, se mexe e se vira. Vivvy cobriu a cabeça com o lençol, e agora só consigo ver uma única trancinha. Parece uma centopeia peluda descansando no travesseiro.

Suspiro também. Percebo agora que a gente sempre fez o que Mark queria, e eu sempre topava.

Bem, esta foi a última vez. Nem sempre Mark consegue o que quer.

Royal Festival Hall. Última opção.

É fácil ele chegar a Waterloo de Putney, e simplesmente aceitar isso. Obrigar Mark a sair do caminho e voltar para a cidade pode não parecer nada grave para uma pessoa qualquer, mas para mim era muito importante. Um divisor de águas.

Tá bom. Na frente do RFH 1 hora. Até mais. bjs M

Pego minha bolsa e saio do quarto na ponta dos pés. Depois olho a camisola emprestada e entro de novo na ponta dos pés também.

Paro do lado da cama de Vivvy. Acho que nunca senti tanto medo na vida. Acordar o kraken deve ser assim.

Eu a cutuco cuidadosamente. Acho que é seu ombro.

— Vivvy? Desculpe mesmo, não me odeie, mas pode me emprestar alguma roupa?

Ela não se mexe. Eu a cutuco novamente.

— Vivvy. Acorde! Com calma, no próprio tempo, mas seria ótimo se fosse nos próximos dez segundos.

— Meu Deus! Qual seu problema, hein? — Ela joga o lençol para trás. — O que você tem de errado? Por que está arruinando minha vida?

Vivvy precisa de cinco minutos preciosos se debatendo, se enfurecendo e ameaçando me matar até parar de agir como uma boba e começar a mexer nas gavetas.

Vivvy só veste uma coisa: legging e moletom folgado. Yolly diz que é porque ela tem vergonha de ver o corpo florescendo e ganhando feminilidade. Francamente, eu também teria vergonha de ver meus quadris e meus seios aumentando se minha mãe descrevesse isso como florescer e ganhar feminilidade.

Vivvy faz questão que eu fique com a sua calça legging mais surrada — ela está com buracos e com os joelhos folgados. "Não tem problema, não precisa devolver, é um presente", diz ela. E também com uma calcinha folgada azul-marinho de uma embalagem com três que a avó lhe deu de aniversário, mas se recusa a me emprestar um moletom.

— Eles têm valor sentimental — explica Vivvy, enquanto puxa para o peito um moletom azul-celeste da marca Superdry, como se eu o fosse arrancar dela e sair correndo. — Sério, Sunny, deixar você pegar um seria como te dar um de meus filhos.

— Mas é um empréstimo. E eu vou cuidar bem dele. Devolvo amanhã, todo lavado. Então é como se você estivesse me dando seu filho para que eu, hum, tomasse conta dele.

— Não, não dá. Não é nada pessoal, mas você é jovem e irresponsável. — Ela me olha, estou parada com sua legging velha e de sutiã, que também está surrado. Muito, muito surrado. — Pegue algo de Elle emprestado. Ela não vai se importar.

Nós olhamos a cama onde Elle está dormindo. Yolly devia conferir também se ela não tem narcolepsia quando for fazer o teste de audição.

— Ela tem 3 anos! Nada vai caber em mim.

— Pois é, mas ela é uma criança de 3 anos bem gordinha. — Vivvy tem a graça de parecer levemente envergonhada. — Mamãe diz que é só uma fase. Não podemos falar disso na frente de Elle para que ela não fique com nenhum distúrbio alimentar. Ela diz tanta besteira.

Olho de soslaio para Vivvy, e ela faz o mesmo.

— Minha mãe também diz um monte de besteira. Estremeço com as coisas sobre sexo que ela diz. Acho que está tentando me deixar com medo para que eu nunca queira transar.

— Não fale comigo de sexo. — Vivvy estremece. — Que nojo. Olhe, deve ter alguma coisa de Elle que caiba em você. Um dos vestidos talvez sirva como camiseta, não?

O pequeno guarda-roupa de Elle é cor-de-rosa. Assim como tudo dentro dele. Rejeito tudo com glitter e apliques de flores. Também tudo com personagens da Disney. Sobra um vestido de algodão soltinho, ele é branco com grandes bolinhas cor de cereja. Ele bate na altura de meu umbigo, incomoda nas cavas e esmaga meu peito.

— Não está *tão* feio — diz Vivvy, mesmo enquanto seus olhos se arregalam de horror. — Podemos dar um jeito.

— Caramba! Pare de ser tão rigorosa e me empreste um moletom!

— Não dá. Eu quero, mas não dá — informa Vivvy pesarosamente. — Sério, você está bem. E você não está indo para nenhum lugar especial. Vai só encontrar o tal do Mark para poder dar um pé na bunda dele. Por que precisa ficar gata para fazer isso?

Eu não *precisava* ficar gata, mas também não queria parecer uma apresentadora de programa infantil. Nem a versão nova e melhorada de Sunny, que dança em lojas de conveniência e derrota uma gangue vingativa, daria conta de dizer "esta sou eu e esta é minha bunda se afastando de você" usando um vestido de uma menina de 3 anos. E vamos deixar uma coisa bem clara: além de querer que Mark seja tomado pela vergonha e pelo arrependimento, também quero que ele fique revivendo o momento em que acabei com ele durante anos e anos, pensando: "além de Sunny ser uma pessoa maravilhosa, boa demais para mim, ela também era gostosa".

Também queria conseguir mexer meus braços.

— Eu juro, Viv, se não me emprestar um moletom, vou acordar sua mãe e dizer que você falou um palavrão, pois é a verdade.

Vivvy fica boquiaberta e agarra o próprio cabelo.

— Por que você faria isso? Por que está sendo malvada? Você nunca é malvada.

— Não estou sendo malvada — digo com firmeza. — Estou me defendendo e vou fazer muito isso de agora em diante, então é melhor se acostumar.

— Eu acho que você está fazendo *bullying* — murmura Vivvy, mas ela está se movendo na direção do gaveteiro novamente, franzindo a testa por estar indecisa. — *Bullying* é bem pior que dizer palavrão.

— A gente pode perguntar pra sua mãe se ela acha que é pior que não querer me emprestar um moletom quando você tem... tipo, *centenas* deles aí dentro!

— Não são centenas. — Vivvy remexe na gaveta de baixo, onde deve guardar os moletons de que menos gosta, e finalmente tira um moletom cáqui. — Pode pegar esse, eu acho.

Eu sei que Vivvy adora um moletom grande, mas este daria até para usar como barraca se a Marinha Real precisasse.

— Minha tia comprou quando foi para os Estados Unidos. Ela esqueceu que o tamanho de lá é maior que o daqui. Mas eu o quero de volta!

— Tá bom. Que seja. Obrigada.

Eu tiro o vestido de Elle — que arranca boa parte da pele embaixo de meus braços — e depois visto o moletom de Vivvy. Parece que estou grávida de trigêmeos.

— O material é bem fino, então, pelo menos, não vai ficar com muito calor — salienta Vivvy para me ajudar. — Cáqui é uma cor bem difícil de se usar, não acha? Será por isso que os soldados usam? Para que eles se concentrem em lutar em vez de ficar pensando se estão gatos ou não?

— Não sei. Talvez seja porque a sujeira não fica aparecendo tanto.

O tempo está passando rápido, como soldados de farda cáqui num desfile. Demoro mais dois minutos implorando para que Vivvy me empreste um par de meias para que eu possa calçar o tênis e finalmente ir embora.

A casa ainda está calma quando desço a escada, mas não silenciosa. Escuto o barulho do aquecedor. O zunido da geladeira. Todos os barulhos que tornam as casas reconfortantes e familiares. Nossa casa range assim que o sol nasce, e o aquecedor sempre chacoalha se a pessoa descer a escada rápido demais. Porém, não quero pensar na nossa casa agora, pois ela está parecendo um aterro sanitário. Um aterro sanitário deixado por pessoas que comem carne. Meu Deus...

A esta altura também já estou pensando em comida. Pego uma maçã e uma caixa de suco na geladeira e escrevo no quadro-branco: "Tive de ir, mas nos vemos amanhã. Com carinho, beijos e abraços, Sunny ♥".

Estou quase saindo quando me lembro do celular. Agora a bateria está em 77%, o que é ótimo, e recebi três mensagens de Mark, o que é péssimo. Não consigo nem ver. Ah, só de pensar nelas... Nos dedões de Mark tocando na tela, escolhendo palavras só para me magoar.

Guardo o celular na bolsa, abro a porta e saio para a manhã clara.

LISTA DE AFAZERES

Dar um pé na bunda de Mark.

Dar um pé na bunda de Mark de um jeito arrasador e discreto, que faça ele pensar no que eu disse por, pelo menos, cinco minutos de todos os dias do resto de sua vida.

Mandar uma mensagem para Emmeline pedindo desculpas por ter agido como uma babaca.

Mandar uma mensagem para Vic pedindo o número de Jean-Luc.

Mandar uma mensagem para Jean-Luc pedindo desculpas por ter agido como uma babaca.

Ir para casa.

Não dormir.

Dar comida para Gretchen Weiner.

Envernizar o barracão.

Juntar todas as garrafas de bebidas alcoólicas e colocá-las para reciclagem.

Pedir para Max, do apartamento de cima, dizer para mamãe que as garrafas são dele se ela suspeitar de algo. Ela CERTAMENTE vai suspeitar de algo.

Idem para o saco de lixo contendo embalagens vazias de carne.

Juntar todos os pratos e copos sujos e ligar o lava-louças.

Tirar tudo do lava-louças.

Se Emmeline ainda não tiver respondido, assar um bolo para ela.

Ela sempre reage bem a bolos.

(Se assar um bolo for uma possibilidade, fazer isso antes de ligar o lava-louças.)

Se Jean-Luc não tiver respondido, colocar o texto no Google Translate e mandar de novo em francês. *En Français.*

Sério, não dormir.

Não deitar no sofá, não deitar em nenhuma superfície horizontal.

Acender uma vela perfumada na cozinha para tirar o fedor de carne cozida.

Não se esquecer de apagar a vela perfumada.

Colocar de volta o frasco de perfume que peguei emprestado, sem pedir, na penteadeira de minha mãe.

E também o vestido preto rendado.

Dar uma última conferida.

Mandar uma mensagem para minha mãe e perguntar que horas eles voltam.

Marcar o alarme para meia hora antes do horário previsto para a chegada.

Dormir.

6h25

MARGEM SUL

O sol sempre brilhou sobre a margem norte do Tâmisa, e por isso a St. Paul's Cathedral foi construída deste lado do rio. A margem sul, porém, ignorada pelo sol, sempre foi um lugar mais escuro.

Na Idade Média, sua costa sombreada era o local perfeito para entretenimentos censurados pelos cidadãos refinados. Brigas de ursos, prostituição e teatro eram muito populares entre os pobres. Porém, no século XVIII, até os aristocratas gostavam de ir ao famoso Vauxhall Pleasure Gardens, onde muitas donzelas foram completamente arruinadas ao entrarem escondidas num de seus caminhos ladeados por árvores, com algum devasso de topete e sem sua dama de companhia.

Em 1951, o Festival da Bretanha (exatamente cem anos após a Grande Exposição, em que ocorreu a construção do Crystal Palace) aconteceu na margem sul, após um enorme projeto de remoção dos cortiços e de construções. O Royal Festival Hall era o destaque da nova exposição e depois passou a ter a companhia do Queen Elizabeth Hall, da Hayward Gallery e do National Theatre.

Hoje em dia, a margem sul não é mais o parente pobre da margem norte,
que pode até ter a Agulha de Cleópatra, mas não tem dois cinemas, a
London Eye e um parque de skate.

Meu cérebro não aguenta pensar em uma maneira de chegar de Ladbroke Grove a Waterloo. Fico encarando o mapa do metrô na entrada da estação de Ladbroke Grove, mas é apenas uma coleção sinuosa de linhas coloridas, criando uma bagunça que não faz nenhum sentido.

Finalmente, decido pegar o metrô até Baker Street, trocar para a linha Bakerloo (chamamos de linha Bakerpoo porque ela é marrom, e até hoje eu rio quando penso na palavra "Bakerpoo". Mas estou rindo mentalmente. Não estou rindo alto. Bem, só um pouco).

Enquanto o metrô chacoalha entre os túneis, fico vendo meu reflexo fora de foco na janela oposta. Só vejo olheiras gigantes e lábios caídos.

Na minha frente, tem um homem com o uniforme do Transport for London e uma garota pálida com uma camiseta da Subway, que parece ainda mais cansada do que eu me sinto. Pessoas indo trabalhar. Normalmente, nem consigo pensar em acordar antes das dez num domingo — se minha mãe não estiver em casa para me acordar, eu só levanto quando Terry tira o pudim de Yorkshire do forno para o almoço.

Estou mais que cansada. A palavra cansada não significa mais nada para mim. Ela nem chega perto de descrever meus olhos grudentos e a maneira como minha mandíbula está travada, ou como, apesar de eu ter acabado de tomar uma ducha, ainda me sinto como se tivesse sujeira em todos os cantos do corpo. Depois eu me lembro de como Emmeline chama a nojeira cinzenta que aparece entre os dedos dos pés se você não tira o tênis depois do *cross-country* e passa o dia inteiro com ele, usando as mesmas meias suadas: geleia de dedos dos pés. Uma vez, nós duas vimos um filme em que um homem beijava os pés de uma mulher, empolgando-se muito, e depois nós discutimos por muito tempo o que seria pior: boquetes ou chupar os dedos dos pés. Não conseguimos decidir.

E isto é mais uma característica do meu novo estado de cansaço supremo. Não consigo manter meus pensamentos. Toda vez que um novo surge, ele escorrega de minhas mãos como se eu estivesse tentando comer penne. Minha avó diz que a única maneira educada de comer é deslizando o garfo dentro do tubo, em vez de perfurar a massa. É muito difícil fazer isso, especialmente se a pessoa exagerou no pesto.

Preciso parar com esses pensamentos aleatórios. Preciso de alguma distração — e então me lembro das mensagens de Mark. Eu devia lê-las antes de vê-lo. Para saber exatamente no que estou me metendo. Porque, apesar de eu ter falado muito em confronto, só de pensar em ver Mark, eu me sinto oca por dentro.

Linda. Acho que está dormindo, mas só queria dizer q amo vc. A gente tá bem, né?

E outra mensagem, dez minutos depois.

Sunny, vou pra casa da minha avó hj. Vamos nos ver amanhã para eu recompensá-la? Pois agora a gente tá bem, né?

E finalmente.

Linda! A gente tá bem? bjs

Vá pra cima dele! Ele é inacreditável. Agindo como se a gente tivesse tido apenas uma discussão boba. Pensando que se safou, apesar de estar mandando mensagens para Tab ao mesmo tempo. Fazendo nós duas de bobas, pois ainda achava que conseguia brincar com a gente. Que a gente cairia, pois ele é o maior prêmio.

Estou tão cega de fúria que só percebo que chegamos em Waterloo quando as portas do trem se fecham, então preciso ir até Lambeth North e voltar uma estação.

229

Depois eu vou para a saída errada em Waterloo, apesar de ser um milagre eu conseguir colocar um pé na frente do outro e andar a esta altura. Descer a escada é realmente complicado. Fico parando porque meu cérebro esqueceu o que deve fazer para processar as instruções de descer a escada e passá-las adiante para minhas pernas. Exaustão e fúria não formam uma boa combinação.

Já passou muito da hora que eu tinha combinado de encontrar Mark. Ou melhor, a hora que "Tabitha" combinou com ele, mas, quando subo os degraus da lateral do Royal Festival Hall e dou a volta na esquina, eu o vejo sentado num banco.

Ele parou bem assim. De perfil. De óculos escuros. Mão passando na extrema loirice desleixada que é seu cabelo.

A última vez em que o vi foi no horário do almoço de ontem, quando ele foi para casa tomar uma ducha depois de pintarmos o barracão. Porém, o horário do almoço de ontem foi séculos atrás. No horário do almoço de ontem, eu ainda estava apaixonada.

A Sunny do almoço de ontem... alguém precisa ter uma séria conversa com ela. E a Sunny desta manhã sente um choque ao ver Mark. Não é um choque bom, de parar o coração, arrepiar os braços e deixar as extremidades dormentes. É mais como se eu estivesse tendo um choque anafilático por causa de uma alergia a nozes e alguém tivesse acabado de me furar com uma EpiPen.

A adrenalina inunda meu corpo. É hora de lutar ou fugir — a reação natural do corpo ao estresse agudo. A Sunny de ontem teria fugido, mas a Sunny do domingo de manhã está louca para lutar.

Agora é fácil fazer meus pés andarem até Mark. Quando ele olha para cima e faz uma imitação maravilhosa do quadro O *Grito*, de Edvard Munch, eu sei exatamente o que dizer.

— Sei que prefere baunilha, mas *azar o seu*. Você pediu chocolate, que é uma maneira racista de descrever sua namorada mestiça. Corrigindo. Sua ex-namorada mestiça. — Sento no banco com força, acotovelando-o, aproximando-me, obrigando-o a se encolher, a ocupar menos espaço. — Aliás, Tab pediu para eu mandar um oi e dizer que o pé na bunda que ela te deu continua válido. E caso você não tenha captado a maneira sutil como mencionei o assunto, eu também estou aqui para te dar um pé na bunda.

Mark se encolhe para a frente e depois para trás. Ele é bronzeado e sempre tem o rosto corado, como se tivesse corrido por um campo, surfado ou feito algo que um garoto numa propaganda da Abercrombie & Fitch faria, mas agora ele está pálido. Nem pálido, mas cinza. Não combina com ele.

— Olhe, Sunny...

— Eu sei! Recebi as três mensagens que me mandou. Você não sabe o quanto me senti especial. Bem depois de você mandar as mensagens para Tab pedindo para voltar com *ela*. E *tire* sua mão de mim.

Mark está tocando meu braço. Como se ele ainda pudesse tocar em mim, quando na verdade não pode, não mais. E, de repente, fico contente por não ter dormido, pois sinto como se minha pele estivesse do avesso e não me importo mais com nada. Nem com minha roupa ridícula, nem com o fato de que talvez eu chore, nem com o que Mark vai pensar de mim.

É incrível não me importar com o que as pessoas pensam de mim. Queria ter percebido isso anos antes.

O que significa que posso olhar para Mark, que está tapando a boca, mas me observa apreensivo, e dizer o que realmente estou sentindo no meu coração, lá no fundo, dentro dos ventrículos e das veias, bem no epicentro latejante.

— Sei que não é uma resposta para nada, mas, meu Deus, como eu adoraria dar um murro na sua cara — digo, de forma rancorosa.

Eu jamais dissera nada rancorosamente antes. Não é tão incrível quanto não me importar com nada, mas que seja. Ainda estou sentindo isso.

— Sunny — sussurra Mark. Suas mãos estão encurvadas por cima da beirada do banco, como se ele estivesse prestes a se lançar para longe dele e sair correndo. — Não fique assim. Você não é assim.

231

— Você não sabe nada sobre mim. Você só viu, tipo, 60 por cento de mim. Eu sempre me comportei muito bem, pois tinha medo de que você não fosse gostar de mim se eu não fosse perfeita. E mesmo assim você não gostou de mim! Nem precisava ter me preocupado.

— Não é isso. Claro que eu gostava de você. Que amava você. Eu ainda amo. Ah, de que adianta? — Mark suspira pesadamente. — Pode me dar meu celular pelo menos?

— Quer dizer seu *outro* celular?

Depois não digo nada, pois estou com tanta raiva que nem consigo falar.

Mark faz cara de sofrimento, mas não diz nada. E depois fala:

— Desculpe, Sun.

— Você só está lamentando porque foi descoberto. Não se arrepende de ter me traído. De ter mentido para mim. Tipo, por *meses*. Não está nem um pouco arrependido de ter feito isso?

— Bem, estou tentando me desculpar, não é?

— Pode tentar mais. Muito mais.

— Não consigo fazer nada certo, né?

Mark cruza os braços, bufando, como se fosse a parte lesada. Como se eu estivesse errada. Como se eu o estivesse deixando à beira de um ataque de nervos com tanta insensatez. Agora, normalmente é neste momento que eu peço desculpas pelos meus pecados. Por ter reclamado quando Mark chega atrasado. Por ficar chateada por ele ter me contado o fim do filme. Quando ele diz que meus tênis novos deixam meus pés gigantes. Quando saímos e ele fica olhando outras garotas. Ele faz com que eu me sinta inferior de tantas maneiras, e toda vez sou eu que peço desculpa.

Não mais.

— Não, acho que você não faz nada certo quando é um mentiroso, traidor, enganador, malvado, traidor, falso...

— Você já disse traidor uma vez, e eu não diria que fui malvado. Não literalmente.

Mark une as sobrancelhas e projeta o lábio inferior para a frente. Não de uma maneira exagerada, mas de um modo sutil que indica uma grande sensibilidade. Esta expressão sempre me atingiu, mas alguma coisa mudou. E acho que não tem nada a ver com a falta de sono.

É mais que isso. É como se minhas células, moléculas e todas as partes científicas que nunca conseguimos ver tivessem se reposicionado enquanto a noite passava. Estou com a mesma aparência e minha voz continua igual, mas por algum motivo não me sinto a mesma, e o olhar de censura de Mark não me atinge mais.

— Tab disse... — Engulo em seco para lembrar exatamente o que Tab disse. — Você mentiu sobre tudo, até mesmo sobre o time para o qual torce, então nem venha com esse papo furado de "na verdade, eu sou um bom rapaz". Você não é.

— Desculpe — murmura ele, e, apesar de dizer baixinho e com um pouco de ressentimento, desta vez ele parece estar sendo sincero. — Foi só uma brincadeira de sábado à noite, sabe, e, bem, ninguém entende o quanto as coisas são difíceis para mim.

Agora ele está relaxando enquanto se explica. Descruza os braços e vira o corpo para mim. Mark está com uma aparência bem melhor que a minha, mas consigo sentir o cheiro rançoso de álcool em sua pele, que me alcança com a brisa carregada pelo rio.

— Tudo bem. E o quanto elas são difíceis para você?

Ponho as pernas no banco e apoio o queixo nos joelhos.

— Bem, é que agora eu vivo em, tipo, dois mundos diferentes. Meu mundo de Chelsea e meu mundo do norte de Londres, e eu não... nunca contei isso pra ninguém antes... — Mark cobre minha mão como se agora tivesse permissão para tocar em mim, mas não me lembro de permitir isso. — Mas agora eu sinto como se não pertencesse a nenhum dos dois mundos... sei que o que fiz foi errado, mas você e Tab eram feito passaportes para cada um deles, então quando estava com vocês, eu sentia que estava me enturmando. Sei que é loucura, mas...

233

— É o maior papo-furado. Você não está se enturmando? Que peninha.

Minha mãe sempre me diz isso quando estou reclamando de alguma coisa. É bem irritante, mas quando digo isso agora, acho extremamente agradável.

— Está dizendo para uma garota mestiça que *você* não está se enturmando. Você não sabe merda alguma sobre não se enturmar. Você é um rapaz branco, heterossexual e bonito. Sempre vai se enturmar, Mark, por mais que seus pais se separem ou seu pai perca todo o dinheiro, então, tipo... deixe seu privilégio na porta.

Não existe resposta possível depois que alguém escuta que deve deixar o privilégio na porta. Especialmente quando se trata de um rapaz branco, heterossexual e bonito. O jogo acabou. Fim.

Mark não diz nada. Acho que ainda está pensando no que eu disse.

Abro a bolsa, estendo o outro celular, e imediatamente ele tenta pegá-lo.

— Me dê!

— Calma aí. — Puxo-o para fora do alcance dele. — Ainda não terminei.

Mark contorce o rosto e fica com uma expressão feia.

— O que mais você teria para dizer?

— Muita coisa. Você precisa pensar em como trata as pessoas. Em como fala delas quando não estão por perto. Tipo, ontem eu conheci seus amigos de Chelsea, os dois Giles e o resto, e eles não eram babacas de jeito algum. Eles eram legais e...

— Você o quê?

Acho mesmo que Mark vai chorar.

— Ah, não se preocupe. Eles não sabiam que eu era a infame Sunny, sua "stalker".

Faço aspas com os dedos, e o rosto de Mark está vermelho. Muito, muito vermelho. Mais vermelho que as caixas de correio, que as fardas dos guardas da torre de Londres e que a linha Central.

— Olhe, sobre isso, eu só disse que...

— Pare de mentir! Pare. Só isso. — Cansei de falar com Mark. Ou de tentar entrar na cabeça dele. De fazer Mark perceber que errou. De tentar acabar com ele. Ele não merece o esforço que eu precisaria fazer para isso. — Eu poderia acabar com você no colégio, sabia? Se eu contar para todo mundo o que você estava fazendo, seu último ano vai ser um inferno.

— Você está agindo como uma psicopata — retruca Mark.

Porém, ele não retruca tão firmemente pois, de repente, me tornei perigosa.

Nunca fui perigosa antes. Parece uma medalha de honra. Mark precisou reconhecer que sou imprevisível, uma incerteza, que quase o derrotei. Não sou mais trouxa.

— Tanto faz — respondo lentamente, para que Mark perceba que, apesar de eu estar de óculos escuros, revirei os olhos. — Não vou te dar um desconto porque seu pai perdeu o emprego, seus pais se divorciaram e seu mundo inteiro virou de cabeça para baixo. Não quando você ficou brincando com duas garotas que não tinham muita autoestima, sem nem pensar nos sentimentos das duas. Meu Deus, eu quase transei com você! Você sabe o quanto isso era importante para mim, o quanto precisei confiar em você. E o tempo inteiro, tudo que você dizia era papo-furado!

— Nem tudo. Eu me importava... eu me importo mesmo com você, Sun — diz Mark. Ele inclina a cabeça. — Sei que me comportei como um babaca hoje, mas bebi muito e...

— Você tem sido um babaca há meses, eu que não tinha percebido. — Não adianta listar todas as babaquices que Mark fez. Ele provavelmente fez babaquices que nem percebi ainda. — Enfim, não vou destruí-lo. Diferentemente de você, não sou uma babaca. Mas não posso falar por Emmeline, ela não liga muito para ser boazinha.

Mark põe a cabeça entre as mãos e me lança aquele velho olhar lateral de quem está implorando, como se não tivesse escutado uma única palavra do que eu disse.

— Ei, Sunny, não pode falar com ela?

— Eu até posso, mas não vou. Enfim, aqui está seu celular. Você teve sorte, eu podia ter jogado ele no rio.

Mark se levanta. Ele dominou minha mente por bastante tempo, mas agora eu só quero que ele vá embora, que isso acabe logo. Entrego o celular, tomando cuidado para a gente não se tocar. Ele está mais preocupado em procurar arranhões ou líquidos nocivos, e depois o guarda no bolso da camisa. Ele balança a cabeça. Parece triste.

— É como se eu nem a conhecesse mais, Sunny — diz ele. — Qual é, a gente pode superar isso.

— Meu Deus, está brincando? — Ele não está. Parece totalmente sério. — Não quero superar isso. Na verdade, nunca mais quero fazer isso.

— Não sou uma pessoa ruim, Sunny. Bem, tá certo, admito que fiz algumas coisas ruins, mas eu amo você sim.

Olho para Mark. Olho-o de verdade. Seu cabelo, seus olhos azul-escuros, a boca, que eu costumava achar que era feita só para meus beijos; todas as partes que compunham o garoto que eu amava. Existem milhares, dezenas de milhares, centenas de milhares de garotos em Londres, e agora Mark é apenas mais um entre eles. Ele não é nada de mais. Eu que permiti que ele pensasse isso.

— Sabe de uma coisa? Eu mereço alguém muito melhor que *você*. — Faço um gesto com as mãos, agitando-as. — Se manda, garoto, vá embora.

Mark não estava esperando isso. Ele não vai embora, fica parado abrindo e fechando a boca como um tolo. Em seguida, balança a cabeça e começa a se afastar. Eu continuo sentada e o vejo ir embora. Tenho certeza de que as últimas palavras que ele disse foram:

— Vaca estúpida.

Mas não me importo. "Vaca" é apenas uma palavra que os garotos usam quando não têm mais o poder de machucar você.

Se isso fosse um filme, agora passaria uma tomada panorâmica do Tâmisa, com o sol reluzindo na água e o magnífico horizonte de

Londres ao fundo. Uma trilha discreta e melódica de lo-fi tocaria baixinho enquanto eu diria: "mas eu não sou uma vaca, sou uma mulher forte e independente". A câmera ficaria no meu rosto por um instante demorado enquanto eu pensava na jornada emocional pela qual passei.

Porém, isso é coisa de filmes do Richard Curtis. Não existe nada de errado em ser uma mulher forte e independente, mas isso parece propaganda de antitranspirante. Eu prefiro ser Sunny, que sabe ser bem durona quando precisa.

Agora entrelaço os dedos, estalo as juntas e fico esperando a culpa e o arrependimento falarem mais alto.

Mas isso não acontece. Eu me sinto bem. Ótima, até. Eu me defendi. Eu derrotei o mal. Eu me sinto bem. Eu fui a garota negra zangada, e — olhe só! — o mundo não acabou por causa disso.

Porém, penso na lista de afazeres enorme no meu celular e que meu mundo vai realmente acabar se eu não fizer tudo antes de minha mãe e Terry voltarem, e então me sinto péssima.

Em vez de me gabar, eu deveria estar me levantando para agilizar as coisas, mas fico apenas sentada, com toda a adrenalina tendo desaparecido, e me parece uma boa ideia me acomodar no moletom cáqui enorme de Vivvy e dormir.

Está bem calmo. Tem alguém passeando com um cachorrinho fofo. Um homem e uma mulher passam correndo com roupas iguais de lycra de um tom verde fluorescente — não há nada mais presunçoso que alguém correndo numa manhã de domingo. Vejo um barco navegando lentamente, e um homem de colete de alta visibilidade parado no convés, na popa ou no que quer que seja, acena para mim. Para erguer o braço e acenar de volta, preciso fazer um esforço sobre-humano.

Mas, enquanto ainda tenho um pouco de energia sobre-humana, mando uma mensagem para Emmeline. Apesar de ser antes das sete numa manhã de domingo, o que viola praticamente todas as regras implícitas de nossa amizade.

Me desculpe por ter sido uma vaca. Espero que vc tenha chegado bem em casa. Odeio qdo a gente briga. Encontrei Mark e dei o maior pé na bunda nele. Ainda no centro, mas voltando para Crouchy para a grande faxina. Ligo pra vc depois. bjs bjs bjs Sunny

Assim que guardo o celular, ele começa a tocar imediatamente.

O número na tela é desconhecido, mas meio que familiar, e depois de tudo que aconteceu esta noite, passei a ter mais cuidado com números desconhecidos. Mas atendo mesmo assim.

Quer dizer, o telefone está tocando. Não posso não atender.

— Alô?

— Sunny? *Mon dieu! C'est la catastrophe!*

Só pode ser Jean-Luc inundando meu ouvido de francês. Ele parece angustiado, cansado e muito, muito à beira de um ataque de nervos.

— O que aconteceu? Em inglês! Tente me contar em inglês.

— Peguei o ônibus errado. Dormi. Terminei indo para um lugar terrível chamado Surbiton. Depois peguei outro ônibus. *Et maintenant,* estou em outro. *C'est un cauchemar!*

Não sei o que é *cauchemar,* mas que pesadelo.

— Onde você está agora?

Ele dá um pequeno soluço, como se estivesse segurando o choro.

— Não sei.

Pense, Sunny, pense. Faça seu cérebro de lesma funcionar.

— Tem uma placa eletrônica no ônibus dizendo qual é a próxima parada?

— Hum, vou dar uma olhada.

Como Jean-Luc não veria a placa? Deve estar bem na frente dele.

— Está usando óculos escuros?

— Eu preciso usar, Sunny. A luz está forte demais. Meus olhos...

Ele não completa a frase. Escuto uma voz no fundo.

— A próxima parada será a estação de Waterloo.

— DESÇA DO ÔNIBUS! DESÇA NA PRÓXIMA PARADA!

— Não grite, eu imploro.

— Desça do ônibus na estação de Waterloo. Estou bem aqui na esquina. Estou sentada na frente do Royal Festival Hall.

— *Quoi? Qu'est-ce que tu dis?* Minha bateria está...

— Desça do ônibus, Jean-Luc. Siga as placas até o Royal Festival Hall. Na margem sul. Vou esperar você.

A ligação é interrompida. Estática. E depois silêncio.

É impossível saber o quanto Jean-Luc escutou ou o quanto ele entende depois de esquecer boa parte de seu inglês.

Penso em sair para procurá-lo, mas tem muitas estações de ônibus perto de Waterloo, e eu provavelmente iria parar na errada. Ou Jean-Luc iria para o primeiro andar do Royal Festival Hall enquanto estou no térreo. Ele poderia ir numa direção completamente errada e parar em Westminster. Ou...

O melhor é ficar parada onde estou, mas parece que não estou fazendo nada enquanto tem um francês estressado perambulando pelo SE1 e ficando cada vez mais perdido.

Tento ligar para Jean-Luc caso seu celular ainda tenha um quarto de um por cento da bateria, mas escuto uma mensagem dizendo que o celular dele está fora de área.

Em seguida, olho as paradas de ônibus ao redor de Waterloo para ver onde um ônibus vindo de Surbiton pararia — eu fico meio que impressionada por estar pensando com tanta clareza, apesar de precisar tentar três vezes antes de acertar como se escreve Surbiton.

Agora dez minutos se passaram e não tive nenhum sinal de Jean-Luc. Estou sentada no meu banco e olho para a esquerda, olho para a direita, olho atrás de mim.

Eu me levanto. Ainda não vi nenhum garoto de topete e terno apertado no meu horizonte. Começo a dar um passo hesitante atrás do outro até chegar no topo dos degraus que levam à rua exclusiva para pedestres que fica na lateral do RFH. Ela é cheia de restaurantes, cafés, *sushi bars* — e nada está aberto, então é impossível Jean-Luc ter entrado num deles e pedido um espresso na maior xícara possível.

239

Meus ombros se afundam. Minhas pernas também não estão se saindo muito bem. Penso em sentar nos degraus. Depois, penso em voltar para o banco. Então penso se um dia conseguirei voltar para casa, e aí vejo uma pequena silhueta se aproximando de mim.

É como se um homem magro de uma pintura do Lowry tivesse ganhado vida. Tirando o cabelo e os óculos escuros, e o fato de que ele está segurando uma vassoura. Uma vassoura cinza com cerdas azuis.

Com as pernas bambas, desço os degraus, e ele também está acelerando, então nós dois corremos um para o outro como se realmente estivéssemos numa comédia romântica brega.

— Sunny!

— Jean-Luc!

Estamos nos abraçando, e acho que jamais ganhei um abraço tão forte. A vassoura está me cutucando nas escápulas, mas nem me importo.

— Achei você, graças a Deus! — exclama Jean-Luc fervorosamente. — Estava atormentado achando que você seria estuprada e assassinada, e *la belle Hélène, elle va tomber folle de douleur!*

— Me desculpe mesmo por ter deixado você ir embora furioso daquele jeito. Eu não devia ter feito aquilo. Sei que eu estava muito irritante hoje, mas normalmente não sou assim. E você está com minha vassoura! Eu nem sabia que a tinha perdido.

— Você a empurrou nas minhas mãos na frente do Ritz — informa Jean-Luc.

Ainda estamos nos segurando, e no mesmo segundo nós dois percebemos que estamos abraçados como se Jean-Luc tivesse acabado de voltar da guerra.

Soltamos nossos braços e nos afastamos, mas então Jean-Luc sorri para mim. É um sorriso torto e cansado, e não estamos mais constrangidos. Ele parece exausto. Cansado, com a roupa amassada, com o rosto pálido, e, quando meu rosto estava encostado no seu pescoço, senti um cheiro levemente azedo e mofado.

— Vamos para casa? — pergunto.

Jean-Luc concorda.

— Meu Deus, sim!

— Onde você mora?

— Highgate. — Ele olha ao redor desamparadamente, como se esperasse que alguma espécie de transporte instantâneo se materializasse de repente. — Como chego em Highgate?

— É fácil. Pegue a linha Northern até o fim, se ela estiver funcionando hoje. — Highgate fica meio que perto de Crouch End. Eu só preciso descer a Shepherd's Hill até o fim, seguir por Park Road e depois atravessar por trás da Broadway. É uma caminhada de 20 minutos. Fico com vontade de chorar só de pensar nisso. Porém, eu abandonei Jean-Luc quando ele precisava, então o mínimo que posso fazer é levá-lo até a porta de casa, especialmente porque sua cabeça não parece estar funcionando direito. — Vamos.

Waterloo fica mais perto, mas estou virada e começamos a caminhar na outra direção. Subimos os degraus de Hungerford Bridge para atravessar o rio até a estação de Embankment.

Do outro lado da passarela ficam os trilhos de trem. Jean-Luc diz alguma coisa para mim bem na hora em que o trem passa estrondeando.

— O quê?

— Eu disse que Highgate não é meu lar — informa Jean-Luc pesarosamente.

— Não é? Mas você disse...

— Paris é meu lar. — Ele encurva os ombros. — Por um instante, quando eu estava em Waterloo, pensei em ir até St. Pancras, pegar o Eurostar e ir para casa, mas pfff. Essa não é a resposta.

— Se essa não é a resposta, qual é a pergunta?

— Eu não estava feliz em Paris. Meu padrasto. *Ce n'est pas un homme gentil.* Você tem um padrasto, *non*?

— Sim, Terry, mas não penso nele como padrasto. E eu já tenho um pai. Ele é, tipo, Terry mesmo. É difícil explicar o que Terry é para mim. Ele está com minha mãe, e comigo, desde que eu tinha 4 anos. É uma presença constante, alegre e com costeletas na minha vida.

— Mas você gosta dele? — insiste Jean-Luc.

— Eu o *amo*. — Meu Deus, agora estou ficando toda emocionada pensando em Terry, mas se eu não chegar logo em casa para limpar todas as evidências de meus crimes, Terry não vai ficar tão alegre assim. Não ao ver o que fiz com seu querido barracão. — Também amo meu pai, mas não passo muito tempo com ele. E mesmo quando estou com ele, papai não parece estar muito presente. E seu pai de verdade, você o vê muito?

— Não. Agora ele está morando em Perpignan.

Não sei onde é isso, mas imagino que não é perto de Paris. Nem de Highgate, aliás.

— Tá, então você não era feliz em Paris, mas está feliz em Londres, não?

É muito difícil interpretar Jean-Luc quando ele está de óculos escuros de novo. Além disso, estou burra por não ter dormido, pois ele está balançando a cabeça. O que não faz sentido, pois como alguém não seria feliz em...

— Londres! Ah! Odeio Londres!

Paro e seguro o braço de Jean-Luc, pois quero que ele pare também.

— Que coisa terrível de se dizer! — Fico boquiaberta. — Retire o que disse!

— *C'est rien!* Não é nada pessoal — diz ele, como se não fosse nada grave, e tenta se soltar.

Eu o seguro com mais força.

— Como pode odiar isso? — digo, gesticulando com a mão que não está agarrando a manga dele como um torno.

Estamos no meio da ponte. O céu nunca esteve tão azul. O Tâmisa também nunca esteve tão azul, o que já é muita coisa, pois normalmente ele tem a cor da água que foi usada para lavar louça. Tem mais barcos passando agora e, a distância, vemos Waterloo Bridge, com ônibus vermelhos e táxis pretos acelerados. St. Paul's está à nossa esquerda, majestosa e inalterada há centenas de anos, e depois dela estão as torres de vidro do centro financeiro de Londres.

Londres está linda neste domingo. Parece um cartão-postal. A mais bonita de todas as cidades.

— Meu Deus, você deve estar louco se não consegue ver o quanto Londres é bonita — digo para Jean-Luc.

Eu o solto e começo a andar.

Não estou com raiva. Não mesmo. Estou mais desapontada. Gosto de Jean-Luc. Em comparação a alguns garotos que conheço, ele é genuíno. Um príncipe entre os homens. Superior a todos eles. Ele também assumiu involuntariamente a custódia de minha vassoura e a protegeu, mesmo quando estava completamente perdido.

E depois de tudo que vivenciamos esta noite, não consigo imaginar que a gente vai simplesmente se despedir na porta da casa dele e nunca mais se ver.

Somos mais que isso. Melhores que isso. Não somos amigos como sou amiga de Martha, Archie e Alex. E não somos melhores amigos porque ninguém jamais tomaria o lugar de Emmeline. Jean-Luc e eu temos uma amizade diferente, e ainda não entendi como ela é, mas isso não significa que ele pode falar mal de Londres, da *minha* Londres, e achar que vou aceitar.

— Você está com raiva — diz ele, quando me alcança, pois agora estou andando mais rápido. — Não fique com raiva de mim.

— Você não pode dizer que odeia Londres. Londres é maravilhosa.

— Que seja. — Ele puxa meu moletom. — Você entrou no exército desde a última vez em que a vi?

— Não mude de assunto.

— Preciso mudar de assunto. Não tenho dinheiro no meu cartão Oyster. *Alors!* Não tenho nenhum dinheiro. Pode me emprestar alguma coisa?

Agora estamos na estação Embankment. Ainda tenho a nota de 20 libras que Vic me emprestou, então coloco dez em cada um dos nossos cartões. Estamos prestes a passar nas roletas, e Jean-Luc *ainda* está tentando me convencer de que Londres é péssima porque "é muito suja e as pessoas cospem nas ruas como selvagens..." quando Emmeline me liga.

— Não vamos fazer todo um discurso porque está cedo demais, é domingo e podemos simplesmente concordar que nós duas fomos babacas, nos arrependemos e ainda somos melhores amigas, né? — diz ela antes mesmo que eu diga alô.

— Por mim, está ótimo. Desculpe se minha mensagem a acordou.

— Eu tinha de acordar para fazer xixi mesmo. — Emmeline funga. — Já está em casa?

— Quem me dera! Estou em Embankment.

Apesar de eu estar no celular, Jean-Luc adorou o tema e continua falando:

— Londres é confusa, com todas as zonas diferentes. Não entendo as zonas. Nem o mapa do metrô. A linha Circle... ela nem é circular.

Ele está começando a me irritar.

— Mas está indo pra casa agora, né, pois eu ia passar lá pra ajudar com a faxina porque somos melhores amigas e eu amo tanto você que estou preparada para passar o dia inteiro com apenas três horas de sono — diz Emmeline. — Que horas acha que vai chegar?

— *Mais oui*, Sunny, você gosta de Londres porque mora aqui, mas por que a linha se chama Circle? *Pourquoi? C'est ridicule!*

Se Jean-Luc e eu vamos ter uma amizade diferente, preciso deixar algo bem claro.

— Na verdade, mudança de planos — digo para Emmeline. — Não vou direto para casa. Preciso fazer um desvio.

— Mas, Sunny, você dormiu alguma coisa?

— Nadinha. E estou com vontade de vomitar, mas vou levar Jean-Luc para meu lugar preferido no mundo porque ele está enchendo o saco e é a única maneira de ele calar a boca.

Jean-Luc ergue os óculos escuros para poder me olhar.

— *Moi?*

— *Oui. Vous.*

— *Non, tu.* — Ele parece ainda mais magoado. — Somos amigos. Amigos dizem *tu* e não *vous.*

— Caramba! Se agarrem logo de uma vez — diz Emmeline. — O que está acontecendo entre vocês dois? O que aconteceu com Mark? E, ei, Sun, quando você saiu de casa ontem, parecia que alguém tinha soltado uma bomba lá dentro. Acho melhor você ir para casa. Tipo, agora, para que ainda tenha chance de arrumar tudo antes que sua mãe...

Quando penso em juntar todos aqueles pratos encrustados e, argh, em envernizar o barracão, dá vontade de nunca ir para casa.

— Não adianta — digo de um jeito cansado para Emmeline. — Nunca vai dar tempo de fazer tudo, mesmo se eu fosse para casa agora. Minha mãe e Terry vão ter de fazer o pior. Me castigar ou algo do tipo.

— Mas aí você não vai poder ir ao Carnaval de Notting Hill amanhã. A gente sempre vai ao Carnaval na segunda do feriado bancário.

— Quem sabe eles não me dão uma prorrogação até depois de amanhã — digo, mas não estou contando com isso. — Olhe, mais tarde eu te ligo. E aí conto sobre a situação do castigo e descrevo a cara de Mark quando eu disse para ele deixar o privilégio na porta.

— Não acredito. — Emmeline dá uma risada gutural, parecendo um ralo. — Estou adorando essa versão nova e melhorada da Sunny.

— Pois é! Eu também. Até mais, tá?

— Claro.

Encerro a ligação. Jean-Luc olha para mim ansioso.

— Somos amigos? *Tu* e não *vous,* sim? E vamos para casa agora?

— Sim, sim e mais ou menos.

— Como assim, mais ou menos? — Ele me segue e passa pela roleta. — Não vamos para casa?

— Sim, mas precisamos fazer um desvio primeiro.

Viramos à esquerda, descemos os degraus, descemos de escada rolante, descemos mais degraus e vamos para a plataforma da linha Northern indo para o norte. O trem Edgware está chegando primeiro, mas não importa — não precisamos do trecho de High Barnet se não vamos até Highgate.

— Preciso ir para casa agora — queixa-se Jean-Luc, talvez até choramingando. — Vic passa a noite fora, mas eu não. *Ma tante Elise*, ela deve estar muito preocupada comigo.

Isso chama muito a minha atenção.

— Você mora com sua tia?

— *Oui. Et mon oncle.*

— Vic mora com os pais? Apesar de todo o jeito de garanhão?

A placa indicadora nos alerta firmemente — AFASTEM-SE, TREM CHEGANDO —, mas já consigo ver o brilho fantasmagórico do trem iluminando o túnel, e depois ele se movendo em nossa direção, com os ratos nos trilhos correndo para procurar a segurança de seus pequenos esconderijos.

Jean-Luc sorri como se, de repente, tivesse esquecido o quanto está cansado.

— Claro, Vic mora com a *maman* e o *papa* — diz ele, enquanto as portas abrem e nós entramos no trem. — Por que mais ele teria de dormir na casa das jovens?

Nós nos sentamos, com assentos vazios dos dois lados.

— Ele não pode levá-las para casa? Tia Elise não aprovaria?

Ele não dá uma gargalhada, mas sim uma risadinha, e eu faço o mesmo.

— Tia Elise, ela é muito, hum, liberal, mas as jovens não aprovariam a cama de solteiro de Vic nem seu edredom com carros de corrida. *Non?*

— *Très non!*

Ela dá outra risadinha.

— Por favor, não tente falar francês, Sunny. A gente já não conversou sobre isso?

Conversamos, mas já que estamos falando de Vic...

— Então, é por causa de Vic que odeia Londres? Tipo, ele é ótimo, mas me desapontou muito mais cedo. Ele disse que eu podia contar com ele, e depois ficou com uma garota qualquer e me abandonou. Ele faz isso com você? Quando não está zombando de você nem ficando com garotas aleatórias?

Jean-Luc encosta-se no assento.

— Eu amo Vic. Ele é meu primo. *Mon frère, mon meilleur ami, mon camarade.* — Ele balança a cabeça. — Vic não. É que... em Londres, chove o tempo inteiro.

— Mal choveu este verão. Tente outra vez — digo para ele.

O MEU ESTADO

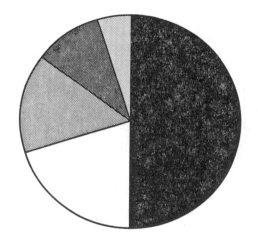

 Tão cansada que tudo dói, e qualquer movimento repentino vai me fazer vomitar

 Juntando energia suficiente para bater em Jean-Luc se ele continuar atacando Londres

 Sentindo uma satisfação presunçosa por ter me livrado de meu namorado traidor e imprestável

 Comovida com a vista de Londres, da minha Londres, em Hungerford Bridge

5% Cansada de carregar esta maldita vassoura por todo canto

8 h

ALEXANDRA PALACE, MUSWELL HILL

Conhecido local e carinhosamente como Ally Pally, o Alexandra Palace foi inaugurado em 24 de maio de 1873. Seu nome é uma homenagem à princesa Alexandra da Dinamarca, que acabara de se casar com o príncipe Edward, de Gales, e foi escolhido para ser o Palácio Popular.

Oba! Mas nada de oba, foi um desastre! Dezesseis dias depois, o palácio foi destruído por um incêndio. Porém, os vitorianos não são de se lamentar. Ah, não. Eles começaram a reconstruí-lo imediatamente, e, em 1º de maio de 1875, o Ally Pally foi reinaugurado.

Seu amplo terreno abrigava uma vila japonesa, uma pista de corrida (ainda existe um pub na base de Muswell Hill chamado The Victoria Stakes) e um campo de críquete, um lago para passeios de barco e um campo de golfe pitch-and-putt, que continuam lá até hoje.

O Ally Pally é mais famoso por ter sido o local da primeira transmissão televisiva, em 1936, feita por John Logie Baird. Durante a Segunda Guerra Mundial, o transmissor de televisão foi utilizado para interferir nos sistemas de navegação dos bombardeadores alemães.

Em 1980, o Ally Pally foi mais uma vez atingido por um incêndio e ficou fechado enquanto grandes reparos eram realizados. Abriu novamente em 1991, e que tenha um longo reinado no norte de Londres.

Jean-Luc está tão concentrado em falar mal de Londres que, quando chegamos em Euston, é fácil pegar a mão dele e puxá-lo do assento para que a gente troque para a linha Victoria.

Ainda estamos de mãos dadas quando percorremos o longo túnel de Finsbury Park e saímos dele, e a luz do sol nos faz piscar os olhos.

— Você nos trouxe para o desvio — diz Jean-Luc, com um tom acusador, mas sem me soltar, apesar de estarmos com mãos suadas e grudentas. — Mais uma coisa que detesto em Londres: os desvios furtivos.

— Não foi furtivo, eu avisei.

Eu até soltaria a mão de Jean-Luc, não quero que ele fique com a impressão errada, mas é bem provável que ele saia correndo em vez de andar comigo até a parada de ônibus do W3. Também é muito provável que eu simplesmente desmorone sem Jean-Luc me segurando e me fazendo subir no ônibus quando ele chegar.

— Aonde está me levando, Sunny? — pergunta ele.

Nós nos sentamos nos assentos reservados para idosos ou pessoas com crianças, pois nenhum deles pega ônibus àquela hora de um domingo.

— Para meu lugar preferido de Londres. — Penso um pouco. — Na verdade, meu lugar preferido do mundo. E se continuar odiando Londres depois que eu o compartilhar com você, bem, então você é um caso perdido mesmo.

Não demoramos para chegar. Passamos por Crouch End, e acho que enlouqueci de vez, pois o ônibus para no fim de minha rua, e seria tão fácil me levantar, descer, cambalear alguns últimos passos, abrir a porta e desabar de rosto no chão no meio do corredor, nem me dando o trabalho de andar mais alguns centímetros até minha porta, obrigando Max do andar de cima a passar por cima de mim quando fosse levar Keith, seu staffbull, para passear.

Mas não me mexo. Fico apenas encarando os dedos de Jean-Luc entrelaçados nos meus. Então seus dedos se contraem, como se tivesse uma corrente elétrica passando entre nós, e, quando eu olho para ele, percebo que também está fitando nossas mãos.

É muito, muito, *muito* cedo para eu já estar de mãos dadas com outro garoto. Com Mark, começamos fazendo isso, antes mesmo de nos beijarmos, e olha só como acabou.

Puxo a mão para longe de Jean-Luc, mas é um gesto pegajoso e atrapalhado. Ele coça a cabeça, murmura algo em francês, e eu fico olhando pela janela e respiro fundo, calmamente, até virarmos à esquerda e o ônibus começar a subir o morro.

— Próxima parada — digo, com a voz estridente e pressiono o botão.

Descemos na parada bem na frente do palácio e atravessamos a rua rapidamente.

— Que lugar é este? — pergunta Jean-Luc. Ele olha para o magnífico palácio, com o sol reluzindo nas cúpulas de vidro do telhado. — Parece uma catedral.

— É o Alexandra Palace. O Ally Pally. Mas não é um palácio. Aí dentro acontecem shows, exposições e tal. Algumas vezes no ano, acontece uma grande feira de antiguidades, e, ah, todo tipo de coisa, mas esqueça o palácio.

— *C'est difficile.* É tão grande.

Da próxima vez, se houver uma próxima vez, eu subo os degraus com Jean-Luc para que a gente caminhe ao lado do palácio, pelos caminhos cobertos onde já me protegi da chuva. Vou mostrar para ele a placa dedicada aos civis alemães que morreram aqui num campo de concentração durante a Primeira Guerra Mundial. O escritório da BBC que leva ao transmissor de televisão. Passaremos pela pista de patinação no gelo e pelo lago; talvez a gente alimente os patos. Veremos os garotos no parque de skate. Brincaremos no balanço. Mas não hoje.

Em vez disso, eu o guio pelo caminho que faz várias curvas. Sorrimos e cumprimentamos uma mulher passeando com um cachorro

253

com uma bola de tênis na boca, mas ela desvia da gente com um olhar cauteloso. Àquela altura, devemos estar parecendo sobreviventes de alguma espécie de desastre distópico.

Então o caminho nivela e se transforma numa encruzilhada, mas continuo andando e Jean-Luc continua murmurando do meu lado. Estamos num caminho mais largo agora, com canteiros e bancos de um lado, e o verde inclinado do Gramado Sul do outro.

Quando chegamos no banco do meio com o anjo que fica no topo de Ally Pally bem atrás da gente, eu me sento e puxo Jean-Luc para que ele faça o mesmo.

— Olhe isso — digo. — Olhe esta vista e me diga que ainda odeia Londres.

Num dia límpido e ensolarado, dá para ver Londres inteira, espalhada como um banquete. Terry acha que dá para ver até a torre de TV do Crystal Palace. Meu Deus, é difícil acreditar que somente 12 horas atrás eu estava no Crystal Palace, a uma cidade de distância de onde estou agora. A vista era diferente, era outra maneira de enxergar o lugar que sempre chamei de lar.

Não consigo ver a torre de TV do Crystal Palace. Porém, vejo a torre de Canary Wharf, com a luz minúscula no topo brilhando a cada segundo. Vejo o Gherkin, *de novo*. Mais à direita fica a torre dos Correios, Euston Tower, Centre Point e no meio fica o estádio olímpico, que ficou aceso todas as noites durante as Olimpíadas. E no meio de tudo isso, espalhados, vejo campanários e prédios altos, edifícios antigos, edifícios novos. Londres. Minha Londres.

— A vista é incrível — admite Jean-Luc um tanto rancoroso. — Mas... é a vista de uma cidade que eu... aqui não é meu lugar. Esta cidade não significa tanto para mim quanto para você. É seu lugar preferido, *oui*?

— É meu lugar preferido do mundo — respondo.

Porém, isso não tem a ver com a vista, apesar de eu sentir orgulho toda vez que a vejo. Aqui eu sinto que estou no meu lugar.

Jean-Luc me disse por que odeia Londres e agora eu conto para ele por que amo Londres. Nem Londres. Eu me limito a este parque, a este caminho, a este banco.

Conto sobre a queima de fogos e que Terry obriga a gente a chegar horas antes para podermos pegar nosso lugar preferido, exatamente onde estamos sentados agora, para que a gente consiga ver o anjo e o vitral cor-de-rosa quando olharmos para o Ally Pally logo atrás, com um vitral mais grandioso que qualquer coisa de um palácio de verdade. Depois, voltamos andando para nossa casa em Crouch End, e todos vão lá para comer enroladinhos de salsicha e tomar vinho quente.

Conto que a gente pega Keith, o staffbull de Max, do andar de cima, para ele descer o monte correndo na nossa frente e espantar os corvos. Depois, ele para embaixo de qualquer árvore onde as aves estão e late para elas, como se isso fosse convencer um corvo suicida a voar para baixo para ver se Keith consegue pegá-lo.

Aprendi a andar de bicicleta sem rodinhas neste caminho, com meu pai e Terry segurando atrás do banco enquanto minha mãe filmava e gritava "não soltem, não soltem!". Quando eles soltaram, eu caí no chão na mesma hora. Depois mostro a Jean-Luc a cicatriz embaixo do meu queixo, que bateu no asfalto.

Conto sobre as feiras de antiguidades com minha mãe, da exposição de tatuagens com Emmeline, de quando eu, Alex e Martha vimos Archie cair do skate várias vezes, sobre acordar cedo no sábado de manhã para ver Dan participar da corrida no parque, dos muitos piqueniques, dos muitos jogos de futebol — mas toda vez, termino me sentando aqui neste banco. É o lugar perfeito para ficar sentada com pessoas que amo na cidade que amo. Sempre vou chamar este lugar de lar.

Jean-Luc escuta tudo e depois suspira.

— Talvez eu não goste de Londres porque aqui não é meu lugar.

— Você é um idiota — digo carinhosamente, e realmente espero que, depois de dormir, eu não perca esta Sunny que deixou de ter medo de tudo e de todos, e especialmente do que todos acham ou não acham dela. — Pare de ser tão rigoroso com você mesmo, e pare de ser tão rigoroso com Londres. A gente se divertiu muito esta noite, não foi?

— Bem, eu sempre vou me lembrar com carinho de quando fui perseguido por uma gangue de jovens marginais depois que roubamos suas bicicletas — diz Jean-Luc, com a voz indiferente, mas então os cantos da sua boca se levantam. — Foi empolgante.

— A gente conheceu tantas pessoas legais... Shirelle e o pessoal na lanchonete de frango... eu consegui uma carona de riquixá.

— E quase morreu fazendo isso — lembra Jean-Luc. — Mas foi legal ver Audrey zombando de Vic.

— Ela zombou mesmo dele. E a gente passou um tempo com o Duckie, e eu dancei o Charleston numa loja de conveniência. Nem Jeane foi tão ruim. E, tirando toda a situação com Mark, esta foi a melhor noite da minha vida. Na verdade, se não fosse a situação com Mark, eu não teria me aventurado e não teria conhecido Vic... nem você.

— Mas nós dois estávamos no piquenique. Em algum momento, a gente teria se falado — diz Jean-Luc, mas eu balanço a cabeça.

— Eu não teria ido falar com você — admito, e ele volta a ficar magoado e triste. — Você parecia descolado e assustador demais para que eu fosse falar com você. Sabe, com o cabelo e os óculos escuros e o Tumblr do FuckYeah!TheGodards.

— Odeio aquele Tumblr. E parece que está descrevendo a garota no piquenique com o cabelo e os óculos escuros. Aquela que parecia descolada demais para interagir comigo.

— Mas eu estava chorando! Eu tinha tido uma decepção amorosa — saliento.

Fico um pouco corada, pois não acredito que alguém, muito menos Jean-Luc, me viu no piquenique, toda suada, de roupa amassada e com meu short ridículo subindo, e achou que eu era descolada.

E então Jean-Luc segura minha mão, mas além disso ele a leva até os lábios e dá um beijo nas juntas de meus dedos.

— Sei que é cedo demais, depois da sua decepção amorosa, mas aconteceu uma coisa hoje. Por um tempo, enquanto eu estava temendo pela minha vida e tentando encontrar um banheiro no meio de Piccadilly, esqueci que estou triste.

É cedo demais. Não só porque não quero ser uma dessas garotas que só funcionam na sociedade quando estão namorando. Também não quero que nenhum garoto se intrometa entre mim e o novo eu que decidi que vou ser. Nem mesmo Jean-Luc. Apesar de isso não significar que...

— A gente devia passar um tempo juntos para começar — digo, antes de perder a coragem. — Ser amigos.

— Mas Vic diz que existe uma coisa. Como é que ele chama? A zona da amizade. Não é bom ficar nessa zona. Ele diz que, depois que você entra na zona da amizade com uma garota, é impossível sair. — Ele põe a cabeça no meu ombro. Se ele estiver se sentindo praticamente morto como eu, acho que não é por romantismo, e sim por sentir um cansaço tão grande que tudo, dos dedos dos pés até as mãos e o cabelo, dói. — Está me colocando na zona da amizade?

É muito difícil manter a coragem.

— Não. Porque podemos ser amigos que ficam de mãos dadas. Tipo, seremos amigos comprometidos. E de todo jeito, acho que você não devia seguir conselhos amorosos de alguém que dorme numa cama de solteiro com um edredom de carros de corrida.

Jean-Luc muda de posição para poder sorrir para mim, e eu paro de falar, pois prefiro me apoiar pesadamente nele. Ele é muito magro, e não está mais tão cheiroso, mas acho que nunca mais vou me mexer. Vou ficar neste banco por toda a eternidade...

— Eu disse que ela ia estar aqui! Ei, Sunny! Não durma de jeito nenhum! Não feche os olhos — grita Emmeline de algum lugar que parece muito, muito distante.

Será que estou sonhando? Consigo erguer a cabeça e vejo Emmeline descendo os degraus atrás da gente na frente de um grupo misturado de pessoas segurando sacos de lixo, baldes e grandes copos de isopor de café. Charlie entrega um para Jean-Luc e um para mim, e depois diz:

— Meu Deus, vocês dois estão péssimos. Tomem isso.

Tomo um gole agradecido. Está exatamente como eu gosto: três doses de café, muito leite, sem espuma.

— O que vocês estão fazendo aqui?

Junto de Emmeline e Charlie, estão Archie, Alex, George, quem diria, e Martha, que senta do meu lado e segura minha mão.

— Como você está, Sunny? Está bem, querida? Não precisa dar uma de corajosa. Aposto que está se sentindo péssima com toda essa situação com Mark. Deixe pra lá. Eu fiz sanduíches de bacon pra você.

Não estou me sentindo péssima. Bem, estou péssima por não ter dormido, mas não por causa de Mark, e de todo jeito ver bacon no meio de torradas de pão integral com ketchup e sentir o cheiro-de--enrugar-o-nariz realmente me anima.

— Eu estou bem. Sério — asseguro. — Obrigada pelo café da manhã.

Entrego um dos sanduíches para Jean-Luc, que o olha suspeitosamente e então decide que, apesar de não ser um croissant, nem um *croque monsieur*, nem ovos mexidos com salmão defumado ou sei lá o que os franceses comem no café da manhã, o sanduíche dá para o gasto, então lhe dá uma mordida grande e empolgada.

— Obrigado — murmura ele. — Muito obrigado.

George se senta no chão na frente do nosso banco.

— Sabia que você viralizou, Sunny? Está até na página principal do Reddit. Tem um clipe de três minutos de você fazendo uma dança meio estranha, meio Ginger Rogers. Você usou drogas?

Emmeline pisca para mim e senta do lado de Jean-Luc.

— Oi de novo — diz ela para ele. — Você é o legal dos dois, não é?

— Jean-Luc, mas Vic não é tão ruim assim quando... ele... hum...

— Ele inclina a cabeça para trás. — *Je suis trop fatigué pour parler anglais.*

258

Apresento Jean-Luc a todos. Depois tento de novo.

— É ótimo ver vocês todos aqui, tipo, especialmente com café e sanduíches de bacon, mas o que estão fazendo aqui? São oito da manhã de um domingo!

— Em disse que você ficaria de castigo até os 30 anos se não conseguisse limpar o apartamento antes que Helen e Terry voltassem — diz Archie. Ele franze a testa como se não aceitasse completamente a ideia de acordar numa hora tão pavorosa num domingo. — E aparentemente eu sou responsável por boa parte da bagunça, apesar de ter comprado uma vassoura nova pra você!

— Cara! Você e Mark incendiaram o barracão dela — diz Alex para lembrar Archie. — E Sunny passou a noite inteira resolvendo essa bagunça do Mark. É o mínimo que a gente pode fazer, né? — Ela estraga tudo fazendo um círculo com o dedão e o indicador e passando o indicador da outra mão no meio dele. — Mas você não transou, né? Não transou com Mark?

Todos olham para mim, exceto Emmeline, que sabe que não fui corrompida pelo pênis de Mark, e Jean-Luc que sabia que eu não estava com humor para transar com um garoto que tinha feito mil coisas erradas comigo. Porém, fico corada de todo jeito. Reviro os olhos de todo jeito. Fico boquiaberta, sem acreditar que Alex me perguntou isso na frente de todas essas pessoas.

— Ah, meu Deus, não! Mil vezes não.

— Enfim, Sunny é boa demais para esse tal de Mark — diz Jean-Luc e se vira para mim. — Vamos agora? Parei de sentir meus dedos.

Ele mexe os dedos para mim, que parecem estar funcionando perfeitamente, mas não posso dizer o mesmo sobre minhas pernas.

— Pode dormir lá em casa se quiser. Cochilar no sofá enquanto a gente limpa. — Tomo outro gole de café, mas não está me animando. — Não acredito que vocês todos vieram. Abdicar de uma manhã de domingo na cama é a maior gentileza que alguém já fez por mim.

— E nós vamos limpar por você também. Então vamos indo — diz Emmeline.

259

Ela se levanta e me dá a mão, e eu tento pegá-la, mas termino balançando o braço fracamente.

— Daqui a um minuto, tá?

George sorri.

— Passou a noite inteira acordada, Sun? Nem um cochilinho?

Faço que sim.

— Ela passou a noite inteira acordada porque aguenta — diz Emmeline orgulhosamente. — Não precisou cochilar.

— Respeito — diz George, o que quer dizer muita coisa, pois George não respeita ninguém, muito menos a mim. — Mas ainda acho que você tem a consciência política de uma mosca.

— Que seja, George. Esqueça isso — digo, e todos se viram para mim de novo. — O que foi? O que foi?

— Não parece você falando, Sunny. — Martha dá um tapinha no meu braço. — Deve ser o cansaço que está deixando você mal--humorada.

— *Non*, ela não está mal-humorada — diz Jean-Luc. Ele está com o corpo tão mole que está praticamente na horizontal. — Ela é incrível. É melhor não mexer com ela.

Todos ainda estão olhando sem acreditar, pois sempre mexem com a Sunny que eles conhecem.

— Você é incrível demais para entrar no ônibus até sua casa e começar a faxina? — pergunta Emmeline.

A parada de ônibus fica bem atrás da gente. Só preciso subir os degraus e esperar um ônibus que me deixe a meros momentos de casa. Posso chegar daqui a dez minutos.

Eu me levanto. Mas, na verdade, não levanto. Minhas pernas se recusam a me obedecer. Tento de novo. Talvez eu precise de mais café.

— A gente pode esperar um instante? Minhas pernas não querem funcionar.

— Cinco minutos, só isso — diz Emmeline, com firmeza. — Não queremos chegar na sua casa na mesma hora que sua mãe.

260

— Ah, mas a vista é formidável! — exclama Charlie. — Nunca tinha visto do norte, só do sul. Olhe! Lá está o Gherkin. O que é aquele grande bloco amarelo na esquerda?

— São apenas apartamentos — diz George.

Todos olhamos para nossa cidade, e eu fico sentada entre Jean-Luc, que parece descolado, mas está muito triste, e Emmeline, que é muito durona, mas não consegue contar para uma menina que gosta dela.

Todos se escondem. Todos procuram causar uma impressão. Toda pessoa tem momentos em que se sente carente ou assustada, ou em que acha que poderia ser uma versão melhor de si própria.

Então penso em todas as pessoas que sentaram aqui ao longo dos anos. Mulheres com vestidos engraçados e antiquados — crinolinas, anquinhas e saias longas coladas. Homens de terno e chapéu de feltro.

Todas essas pessoas, todas essas gloriosas vidas que se foram há muito tempo. Apenas a vista permanece; os prédios podem ser bombardeados, desapropriados ou demolidos, mas novos prédios tomam seus lugares, cada um mais alto e fantástico que o anterior. Londres está sempre mudando, mas sempre será um lugar onde a pessoa pode viver aventuras, fazer novos amigos, mudar sua história, mudar sua vida.

Será que uma noite pode mudar sua vida? Acho que pode. Ou, pelo menos, ela pode mudar a direção que sua vida estava tomando. Preciso de um tempo para entender isso. Para me acostumar a viver minha vida como se todo dia fosse uma noite de sábado.

Mas algumas coisas sempre permanecerão iguais.

Londres, eu te amo.

Doze horas

Dois Godards

Duzentas e cinquenta e sete mensagens de texto

Vinte e três ligações

Quatro xícaras de café

Três garrafas de água

Duas garrafas de cerveja

Um copo de 7UP maior que um rosto humano

Uma caixa de suco

Oito asinhas de frango (com molho extrapicante)

Um pacote de batatas fritas

Duas tortinhas

Três miniquiches

Uma maçã

Um sanduíche de bacon

Duas mudanças de roupa

Um táxi, um riquixá, uma bicicleta roubada, dois trens de superfície, cinco viagens de metrô. Três ônibus noturnos, um ônibus diurno. Um cartão Oyster zerado

Quatro drag queens

Oito músicas do Duckie

Uma dança Charleston

Um coração partido. Um coração remendado

AGRADECIMENTOS

Agrádeço a Karolina Sutton, Becky Ritchie, Lucy Morris e todos da Curtis Brown. A Naomi Colthurst, Jenny Jacoby e à equipe incrível da Hot Key Books. Também gostaria de agradecer a Roni Weir e a Natasha Farrant pela inestimável ajuda editorial.

Este livro foi composto na tipologia Berling LT Std,
em corpo 10,5/16,1, e impresso em papel off-white
no Sistema Cameron da Divisão Gráfica
da Distribuidora Record.